*De Wilde Voetbalbende*

# Joachim Masannek

# Josje

## *het geheime wapen*

met tekeningen van Jan Birck

Uitgeverij Ploegsma Amsterdam

*Met dank aan Christiaan de Wolf, voor zijn skateboard-adviezen*

Kijk ook op
www.ploegsma.nl
www.wildevoetbalbende.nl

AVI 8

ISBN 978 90 216 2181 4 / NUR 282/283
Titel oorspronkelijke uitgave: 'Die Wilden Fußballkerle – Joschka,
die siebte Kavallerie'
Verschenen bij: Baumhaus Buchverlag, Frankfurt am Main 2005
© Baumhaus Medien AG, Frankfurt am Main
Vertaling: Suzanne Braam
Omslagontwerp: Studio Rietvelt
© Nederlandse uitgave: Uitgeverij Ploegsma bv, Amsterdam 2007

# Inhoud

# Zeven keer zeven keer zo wild

Ik schrok, maar bleef doodstil liggen. Buiten was het nog donker. Het hele huis sliep. Het was muisstil. Je kon een speld horen vallen, zo stil was het. Maar op de gang drukte iets de klink van mijn kamerdeur naar beneden. Langzaam, heel langzaam... Help! Ik keek even naar mijn broer die in het bed onder me lag. Hij was niet alleen ouder dan ik. Hij was Joeri 'Huckleberry' Fort Knox, het eenmans-middenveld. Hij moest me helpen!

'Joeri,' fluisterde ik. 'Joeri! Wakker worden!'

Maar hij hoorde me niet. Nee, hij durfde me niet te horen. Hij lag zelf voor dood in zijn bed. Hij had het dekbed tot aan zijn pet over zijn hoofd getrokken en er een briefje op geplakt: *Toe, lief monster! Neem mij niet mee naar de hel. Neem alsjeblieft mijn broer Josje mee!*

'Wacht maar! Ik krijg je nog wel!' siste ik. Ik balde mijn vuisten.

De kamerdeur sprong open. Klik! Ik begon te trillen over mijn hele lichaam. De deur zwaaide piepend en knarsend open. Een fractie van een seconde zag ik een behaarde klauw.

'Kom op! Je bed uit!' schreeuwde mijn beschermengel tegen me. 'Wegwezen, Josje!'

Maar mijn angst was sneller. Sneller en dommer dan ik. Ik lag net zo doodstil in mijn bed als Joeri. De angst lag als een dikke kwal op mijn borst. Ik kon me niet meer bewegen. Alle brakende beren! Wat moest ik doen?

De deur zwaaide open. Hij sloeg tegen de kast die erachter stond. Mijn hart ging vreselijk tekeer. En ik kon niets anders doen dan bidden. Bidden dat het monster te stom was om Joeri's gekrabbel op het briefje te lezen.

Toen was het stil. Ik deed mijn ogen dicht. Ik wou dat ik het lef had van een drakendoder. En bovendien zijn machtige zwaard. Maar deze wens was blijkbaar te groot voor een jongen van zes. Moed en zwaard bleven uit. Of nee. Wacht even! Hoe laat was het eigenlijk? Ja, dat was belangrijk. Ik vergat mijn angst. Ik keek op de wekker die naast mijn kussen op mijn lievelingsgriezelboek stond. Het boek over de heks Staraja Riba en haar strijd tegen de Almachtige Pink. 6:46, kon ik op het schermpje lezen. 6:46 op 7 maart. Dat betekende dat het over zeven minuten zeven voor zeven was. En om zeven voor zeven op 7 maart was ik geen zes meer. Om zeven voor zeven werd ik na een ondraaglijk lang jaar eindelijk, *eindelijk* zeven!

Maar deze laatste zeven minuten waren dodelijk. Een monster stond op de loer in de deuropening. Mijn broer had een briefje op zijn dekbed geplakt. Daarin werd dit monster verzocht niet hem, maar *mij* mee te nemen naar de hel.

Knetterende donderkoppen! Ik zou mijn zevende verjaardag nooit beleven! Mijn moeder zou de zeven kaarsjes op de verjaarstaart voor niets aansteken. De warme chocolademelk in mijn nieuwe inktzwarte beker van de Wilde Bende zou onaangeroerd blijven. Op de beker stond de piratenkop met daaronder de gekruiste botten. Zo'n beker had ik op mijn verlanglijstje gezet. En niemand zou mijn broodjes met toverbeleg, oftewel de verrassings-worst-kaas-marmelade-kwarkprut die mijn moeder elke dag voor me smeerde, mee naar school nemen.

Stomme huilebalk die ik was! Ik zag het al voor me: mijn broer zit gewoon aan tafel. Hij eet rustig zijn broodje. Dan vraagt mijn moeder waar ik blijf. 'Wil Josje misschien niet opstaan?' Hij haalt zijn schouders op. Ongeïnteresseerd alsof ze hem gevraagd heeft wie de krulspeld heeft uitgevonden. Maar in werkelijkheid wrijft hij onder tafel al in zijn handen. Het zoete speeksel van het leedvermaak druppelt uit zijn ziel. Terwijl ik in de hel, in de buik van het monster, aan mijn einde kom, loert die engerd al op mijn cadeautjes. Zeker weten. Daar steek ik mijn benen voor in het vuur!

Wie zou ze anders krijgen, als ik er niet meer was?

Maar ik had nog tijd. Ik kon nog steeds Joeri's achterbakse plannen dwarsbomen. Alle monsters konden het heen en weer krijgen! Ik schoot overeind en sprong uit het bovenste bed. Met een bons kwam ik op de grond terecht. Ik zag de harige kop om de hoek van de deur verdwijnen. Stinkende apenscheten! Die dikke, behaarde kop met de reusachtige tanden!

Het leek of mijn hart opeens van steen was geworden. De glibberige kwal die net nog op mijn borst lag, gleed nu naar mijn keel. Het was de kwal van de angst, van pure, wanhopige angst. Maar die kwal kon me wat! Ik herinnerde me namelijk niet alleen de reusachtige tanden. Ik herinnerde me ook de bruine zak op de rug van het monster. Nu was die zak nog leeg... Opeens werd het me allemaal duidelijk. Niet Joeri, mijn broer, was de vuile dief. Nee, het monster wilde mijn cadeautjes inpikken. Precies! En daarom verdween het nu de keuken in. Alle verdraaide varkensdrollen! En in de keuken stond niet alleen mijn verjaarstaart op tafel...

'Dat zijn míjn cadeautjes!' schreeuwde ik en ik werkte me spartelend onder de kwal uit. 'Ik waarschuw je, monster! Afblijven!'

Ik was zo woedend dat ik alle voorzichtigheid vergat. Ik rende de gang op. Ik stootte de keukendeur open en blies als een Bengaalse tijger: 'Ik waarschuw je, hoor je! Ik maak je dood en zet je op!'

Maar dit dreigement was het stomste idee van mijn leven. Het stomste en zeer waarschijnlijk ook het laatste. Bij de grootste tiran van alle monsters! Ik was geen Bengaalse tijger en het ondier zat recht tegenover me. Het zat ineengedoken voor me op tafel. Naast de taart. En nu tilde het langzaam zijn kop op. Langzaam en woest. Het had maar één oog. Eén blik van het monster en ik was verstijfd van angst. Hulpeloos. Lamgeslagen. Ik staarde alleen maar naar de reusachtige tanden. Ze werden in een afgrijselijke grijns ontbloot...

Toen dook het monster in elkaar voor de sprong. Met zijn voetbalschoenen zette hij zich af op het tafelblad. Zijn armen schoten uit het kogelronde harige lijf tevoorschijn. Zijn bek veranderde. Het leek een kruising tussen de bek van een haai en die van een reuzenslang. Terwijl ik me wanhopig plat op de grond gooide, brulde het monster: 'Hartelijk gefeliciteerd, Josje! Je bent om óp te vreten!'

Ik sloeg mijn armen beschermend over mijn hoofd. Ik drukte mijn gezicht op de tegels en op hetzelfde moment sprong de klok boven de deur op zeven voor zeven. Dat was niet eerlijk! Ik was nu zeven. Maar wat had ik daaraan? Het monster zou me zo opvreten. Dat was net zo zeker als de fruitkraam die altijd voor Rabans huis stond. En daarom begon het monster te zingen van blijdschap. Het zong en danste rond op de keukentafel:

*Lang zul je leven!*
*Aan de zolder kleven!*
*Naar beneden vallen*
*En je kont verknallen!*
*Leuk is het leven!*

Ik haalde diep adem. Had ik het goed gehoord? Wilde het monster me alleen maar feliciteren? Of maakte hij nog even gauw een grapje? In elk geval nam hij de tijd. Hij wilde genieten van het moment vóór hij me op zou vreten. En ik had echt niets meer te verliezen. Ik schraapte mijn laatste beetjes moed van de keukenvloer. Die kneedde ik en drukte ze in elkaar tot een klont. Een klont, groot genoeg om me voor de laatste keer om te toveren in Josje het geheime wapen. En toen trok ik me omhoog aan het tafelblad.

Langzaam stak ik mijn hoofd boven de rand uit. De kaarsjes op mijn verjaarstaart verblindden me even, maar dat was zo voorbij. Toen zag ik het harige beest. Het zat ineengedoken aan de overkant van de tafel en grijnsde naar me. Zijn enige oog keek nog steeds wild en gevaarlijk en zijn tanden waren nog steeds puntig. Maar hij zag er niet meer zo eng uit. Hij leek eerder een beetje op iemand van de Wilde Bende. Hij leek op de piratenkop die Marlon had ontworpen voor de wedstrijd tegen Ajax. En die sindsdien op onze shirts en vlaggen staat. Die kop zat nu in levenden lijve voor me. Met harige armen en benen en voeten met echte voetbalschoenen aan. Ik wilde het gewoon niet geloven. Dat kon toch helemaal niet? Had ik misschien te veel griezelboeken gelezen?

Het monster deed zijn mond open. 'Hoi, Josje! Ben je daar eindelijk? We dachten al dat je niet meer durfde,' lachte het beest tweestemmig tegen me.

Ja, tweestemmig, in koor! Maar ik kreeg geen tijd om me daarover te verbazen. Want aan de ene kant van de reusachtige kop stond mijn broer, en aan de andere kant mijn moeder. Hun handen staken in de kop en in de handen van het beest. Ze grijnsden naar me.

'Wat is hij wild, hè?' riep Joeri. Hij gooide het te gekke Wilde Bende-beest naar me toe. 'Mama heeft hem voor je gemaakt. En dit is van mij. Pak maar uit!'

Hij drukte me een kleine doos in handen. Ik trok het papier eraf. En ik vond inderdaad wat ik gehoopt had: de zwarte beker van de Wilde Bende met de piratenkop erop. En mijn naam stond er ook op: *Josje het geheime wapen*. En mijn teken: de X. De X van de joker. João Ribaldo, de Braziliaanse voetbalheld van Ajax, had die X zelf voor me uitgezocht.

'Maar dat is nog niet alles!' riep Joeri ongeduldig, alsof hij zelf jarig was. 'Kom mee naar buiten, Josje! Daar wacht de grootste verrassing op je!'

Ik keek van Joeri naar mijn moeder.

'Nog groter dan de Wilde Bende-beker en de Wilde Bende-pop?' vroeg ik verbaasd.

Joeri duwde me al door de deur de tuin in, recht voor de vrachtwagen die op de oprit stond. Tegen de cabine leunde een man. Het was niet zomaar een man. Het was de man die Joeri bij de graffiti-torens had gezien. Het was onze vader.

'Hartelijk gefeliciteerd, Josje!' zei hij. 'Heb ik dat goed gehoord? Ben je vanaf vandaag lid van de Wilde Voetbalbende? Ik bedoel een volleerd, volledig volwassen, volgroeid lid?'

Ik werd vuurrood. Ik kon helemaal niets zeggen. Ik stond daar maar met de beker in mijn hand en het Wilde Bende-monster op mijn arm. En ik straalde.

'Hmm. Als ik jou zo bekijk, moet het wel kloppen,' knikte mijn vader. 'En een echt lid van de Wilde Voetbalbende kan vast wel een echte racefiets gebruiken!'

Met deze woorden klapte hij de laadbak van zijn vrachtwagen open en tilde er het beste, coolste en wildste cadeau van mijn leven uit.

'Of vergis ik me?' vroeg hij met een grijns.

Ik staarde naar de bijzonderste racefiets van de wereld. Twee 16-inch wielen stonden bijna twee keer zo ver uit elkaar als bij een normale fiets. De banden waren zo dik als die van een Harley. Je had extra sterke remmen nodig om te stoppen. De handgrepen van het stuur had mijn vader aan beide kanten van de verende vork heel dicht boven de as

13

gelast. Het zadel was een lange, smalle bank die met leer was bekleed. Daarop moest je zo ver naar voren leunen dat je borst en buik het zadel bijna raakten. Je hoofd werd door een windscherm beschermd. De pedalen trapte je met gebogen knieën. Als je door de bocht ging, werden je benen beschermd door zwarte metalen kappen. En achterop zat als een nummerbord een dikke, oranje X.

'Kokende kippenkak!' zei mijn broer. Hij zuchtte diep. 'Vind je hem niet mooi, Josje? Zeg het maar, hoor. Ik ga 'm graag voor je uitproberen!'

'Ik dacht het niet!' riep ik.

Ik drukte mijn moeder de beker en de monsterpop in handen, sprong op het leren zadel en drie seconden later zat ik, nee, lág ik op mijn nieuwe fiets.

'Wacht even!' riep mijn vader. Hij gaf me een helm. Matzwart, met oranje strepen. 'Alsjeblieft! Die moet je altijd dragen als je gaat fietsen, Josje. Deze fiets is een soort raket.'

Ik knikte, diep onder de indruk. Deze helm zou ik in bed

nog op houden, zoals Joeri altijd zijn geruite pet op had. Ik sjorde de helm vast en controleerde de sluiting nog een keer. En toen... toen rolde ik de oprit af. Vol en zwaar suisden de banden over de straatstenen. Ik lag voorover, bijna met mijn buik op het zadel. Het leek of het stuur uit mijn handen groeide. Het leek een deel van mezelf. Alle schele schollen! De fiets was op maat gemaakt. Het leek of ik hem al honderd jaar had. Ik begon flink door te trappen. Ik dook weg achter het windscherm en schoot door het tuinhek de Fazantenhof op.

'Alles is cool zolang je maar wild bent!' schreeuwde ik. Aan het eind van de straat remde ik. De vork veerde diep door. Ik ging de bocht om, gleed met de zwarte metalen kap over het asfalt en keerde terug naar huis.

'Hartstikke bedankt!' Ik omhelsde mijn ouders. Ik was zó verschrikkelijk blij! Maar ik was ook zeven keer zeven keer zo wild als anders! Want toen mijn broer geschrokken terugdeinsde, omdat hij dacht dat ik ook hem een zoen wilde geven, kreeg hij van mij een klap tegen zijn hoofd. Dat had hij wel verdiend, vond ik.

'Hé! Au! Wat nou weer? Ben je niet goed wijs of zo?'

'Jawel, hoor!' Ik grijnsde uitdagend. 'Dat was voor het briefje dat je op je dekbed had geplakt!'

Joeri keek me verdwaasd aan. 'Ik heb geen idee waar je het over hebt, Josje! Echt niet!' bracht hij uit. En hij keek zo schijnheilig als een haas die paaseieren legt.

'Ja, hoor,' fluisterde ik. Ik haalde het briefje uit de zak van mijn pyjamabroek. 'Toe, lief monster!' begon ik luid en duidelijk. 'Neem míj niet mee naar de hel. Neem alsjeblieft mijn broer Josje mee!'

Joeri werd opeens heel klein. 'Ja, eh... weet je...' mompelde hij verlegen. 'Dat was, eh... Ik bedoel, dat was...'

'Dat was de coolste en griezeligste verjaardagsverrassing

van de hele wereld!' lachte ik. 'En daarom hou ik van je.'

Ik liep naar hem toe en wilde hem een zoen geven, maar ik kreeg in plaats daarvan een klap op mijn kin.

'Waag het niet!' blies Joeri boos. 'Anders vraag ik je zo ten huwelijk!'

Mijn kin deed behoorlijk zeer. Ik wreef erover.

'Echt?' vroeg ik. 'En wat zeg je dan tegen dat mooie nichtje van Dikke Michiel?'

'Ik sla je verrot!' riep mijn broer en hij stormde op me af.

Ik rende het huis in.

'Mam, pap! Hij mag me niet slaan! Ik ben jarig!' riep ik. En omdat dat zo was, zaten we een poosje later aan de keukentafel.

Voor het eerst was dat. Ik bedoel, allemaal samen: mijn vader, mijn moeder, mijn broer en ik. Er was warme chocolademelk die ik uit mijn inktzwarte Wilde Bende-beker dronk. En toen ik de kaarsjes op mijn verjaarstaart uitblies, was ik zo gelukkig! Ik kon niets anders wensen dan dat alles zou blijven zoals op dat moment.

Maar dat had ik beter niet kunnen doen... En ik had het ook niet gedaan als ik geweten had wat er daarna zou gebeuren. Dat moet je geloven. Echt! En ik waarschuw je: denk maar niet dat ik bijgelovig ben. Want dan trek ik aan je oren tot ze een halve meter lang zijn! Bijgelovig zijn Brazilianen, zoals Rocco. Dat weet ik heus wel. Bij alle schele schollen! En daarom was deze wens een uitnodiging aan alle spoken, heksen en uitgekookte jongens van de wereld. Ze stonden in de rij om *mijn* dag te bederven, mijn verjaardag. En om het voor hen nog een beetje de moeite waard te maken, ook nog elke dag van het hele volgende jaar. En alle jaren daarna. Zo! Punt! Uit!

# De verjaarswedstrijd van de Wilde Voetbalbende

Die ochtend begon de weg naar school als een triomftocht. Fabi woonde samen met zijn moeder schuin tegenover ons. Hij floot vol bewondering door zijn tanden toen ik op mijn fiets het tuinhek uitreed. Zes weken geleden verscheen hij bij ijzel – de straten waren spekglad – op zijn fiets met echte Speedway-spikes. We hadden allemaal stomverbaasd naar die fiets staan kijken. Hijzelf ook. Dat was toen we ons moesten plaatsen voor het Stadskampioenschap Zaalvoetbal. We waren kampioen geworden door Ajax te verslaan!

'Sidderende kikkerdril,' fluisterde Fabi nu vol bewondering. En twee straten verder zakten de monden van Leon en Marlon open. Zij zijn broers. Marlon is één jaar ouder dan Leon.

Ook Raban remde af. Hij bracht zijn 12-inch mountainbike met de tractorachterband naast me tot stilstand.

'Dampende kippenkak!' fluisterde de jongen met het knalrode haar vol eerbied. Hij schoof zijn jampotbril wat hoger op zijn neus. 'Josje! Dat is de wildste fiets van de wereld!'

'Echt wel!' zei ik stralend. 'Dit is een raket-racefiets, wist je dat? En wel de snelste die er bestaat.'

'O ja?' klonk een stem achter me.

Ik draaide me om en keek recht in het gezicht van Vanessa.

'Dan neem je mijn uitdaging natuurlijk aan,' grijnsde ze. 'Wie het eerst op school is. Oké?'

Ik slikte geschrokken. Vanessa was niet alleen het wildste meisje aan deze kant van het Donkere Woud. Ze was ook de beste fietser van de Wilde Voetbalbende V.W. Ik kon me maar één wedstrijd herinneren die ze verloren had. Vorig jaar tegen Joeri. Maar bij die wedstrijd had mijn broer last van het verraad dat hij ging plegen. Hij liep over naar Dikke Michiel. Daardoor trapte hij toen op turbosnelheid.

'Wat is er? Ben je soms bang?' zei Vanessa toen ik bleef zwijgen.

De anderen van de Wilde Bende stikten bijna van het lachen.

'Nee, natuurlijk niet,' verdedigde ik me.

'Toch wil ik je nog een kans geven.' Vanessa deed of ze mijn opmerking niet gehoord had. 'Luister allemaal! Wij zijn drie jaar ouder dan Josje. Marlon wordt al bijna twaalf. Daarom krijgt Josje een voorsprong. Honderd meter per jaar. Oké?'

'Veel te veel. Ik ben geen baby meer!' riep ik hevig beledigd.

Maar niemand scheen dat met me eens te zijn. Ze stonden allemaal naar me te grijnzen.

'Dat is dan afgesproken! 350 meter voorsprong krijg je. Als verjaarscadeautje. En als je wint, krijg je van mij als beloning nog iets erbij: een vieze natte zoen!'

'Gadver,' kreunde ik.

'Dat kun je wel zeggen, ja,' zei Vanessa walgend. 'En jij kunt er voor duizend procent op rekenen dat ik alles zal doen om dát te voorkomen.'

Ik keek haar boos aan. Wat een rotstreek! Daarvoor zou ze boeten. Zelfs als ik daarvoor een zoen van een meisje moest krijgen. Die overwinning was me dat wel waard. Ik voelde dat ik de ogen van een tijger kreeg. Van de tijger die tot alles in staat was. En met die ogen schatte ik mijn concurrenten voor de laatste keer in.

Naast Vanessa, op haar echte Giant met de extra brede achterband, stond Leon met zijn Special-Motocross-BMX voor de denkbeeldige startlijn. Daarnaast zat Fabi al op zijn mountainbike met het kleine, speciale sprintachterwiel.

Marlon zat verveeld aan zijn stuur te wriemelen, maar in werkelijkheid schakelde hij de versnelling van zijn fiets met een nauwelijks hoorbare klik op 'racen'. Joeri zat tevreden op zijn fiets met zijspan. Hij aaide Sokke, de hond van Leon en Marlon. In plaats van mij zat Sokke nu met zijn grote flaporen in het zijspan.

Mijn broer en die hond grijnsden naar me. Echt waar. Sokke *grijnsde* en zat spottend te likkebaarden. Ik wist meteen wat dat betekende. Joeri en Sokke wilden de wedstrijd helemaal niet winnen. Nee, ze wilden niet winnen, want ze waren uit op Vanessa's kletsnatte zoen. En ik wist dat ze álles zouden doen om die wens in vervulling te laten gaan.

Raban merkte hier allemaal niets van. Hij concentreerde zich alleen maar op de start. Bloedserieus, zoals de schildpad zich voorbereidt op een wedstrijd tegen de haas. En net als de schildpad had ook Raban geen schijn van kans. Daarvoor was zijn 12-inch fiets te klein en de tractorachterband te zwaar. Maar dat maakte Raban helemaal niets uit. Raban was wijs, weet je. Daarom wist hij ook dat elke dag de dag kon zijn waarop de schildpad het eindelijk van de haas wint.

Maar naast de jongen met de jampotbril en zijn vuurrode haar, doken drie andere leden van de Bende op, en die mocht ik in geen geval onderschatten.

Max 'Punter' van Maurik, de man met het Drievoudige M.S., remde met zijn splinternieuwe Giant zo nonchalant dat het bijna griezelig was. De fiets had een cruiserstuur en een brommerkoplamp. Hij haalde een hand door zijn coole kapsel. Dat had hij sinds de griezelnacht. Toen zette hij zijn zwarte zonnebril recht. Hij knikte tegen me alsof hij wilde zeggen: veel succes dan maar, kleintje! Maar heb je niet een beetje te veel hooi op je vork genomen?

Ik slikte en keek een andere kant uit. Naar Rocco de tovenaar. Hij was de zoon van de Braziliaanse voetbalheld van Ajax. Rocco zat op zijn vierwielige strandbuggy-fiets. Had ik maar niet gekeken, want nu zag ik ook zijn nieuwe versnelling. Zijn fietsketting liep over veel tandwielen en drijfwieltjes. Rocco kon zijn fiets met één kleine teen trappen. En dat de hele heuvel op!

En over de laatste van de drie, Felix, hoef ik niets te zeggen. Felix heeft astma, maar op zijn windsurf-fiets heeft hij daar totaal geen last van. De lucht die hij nodig had om deze wedstrijd te winnen, werd voor hem gevangen door het inktzwarte piratenzeil boven zijn hoofd. En dat zeil bolde op dat moment met een doffe klap op.

'Oké! Ben je klaar?' vroeg Vanessa.

Ik knikte. Om eerlijk te zijn, had ik nu dolgraag méér dan 350 meter voorsprong gekregen.

'Ben je er klaar voor, Josje?' riep Leon. 'Je start aan het eind van de straat.'

'En het startsein geef ik,' grijnsde Joeri.

'Nee. Dat doen we samen,' protesteerde Marlon.

'En wat is dat sein?' vroeg ik.

'Dat zul je zo zien!' lachte Vanessa met een veelbetekenende blik naar Marlon.

Ik verwachtte niet veel goeds, maar ik zei niets. Ik was Josje het geheime wapen. Ik gaf zelfs nog niet op als iederéén verslagen was. Ik moest volhouden, want ik was de kleinste van allemaal. En wie de kleinste in jouw team is, weet wat dat betekent. Die begrijpt me. Als je de kleinste bent, moet je altijd twee keer zoveel lef hebben.

Anders val je niet op. Zo is het nou eenmaal. En als ik dat vervelend zou vinden, kon ik beter meteen lid worden van een kerstknutselclubje. Vrijwillig.

Maar ik wilde bij de Wilde Bende horen. Bij het elftal dat stadskampioen was. En voor wie Fabian zelfs een aanbod van Ajax heeft afgeslagen. Dat wilde ik en daarom hield ik mijn mond. Ik slingerde me op mijn fiets en reed naar het eind van de straat. Daar stopte ik. En hoeveel lef ik ook had, daar voelde ik me weer heel klein. De Wilde Bende-pop van mijn moeder gluurde als een knuffelbeer uit mijn rugzak. De 16-inch wielen van mijn fiets leken tot skate-grootte te krimpen. Ik slikte. Ik zette mijn tanden op elkaar. En hoe dolgraag de schijtlijster in mij het ook wilde: ik keek niet naar de anderen om. Nee, daarvoor was ik te trots.

Wat nu zou komen, kwam.

Daar was niets meer aan te doen.

Alsof Vanessa mijn gedachten kon lezen, begon ze te tellen: 'Een!' zei ze hard en heel ernstig.

Ik verwachtte nog steeds niet veel goeds.

'Twee!' nam Marlon het over. Hij begon zich al te verheugen.

'En!' Leon gaf het teken.

Ik deed mijn ogen dicht.

'Hartelijk gefeliciteerd, Josje!' schreeuwden ze allemaal samen. 'We wensen je de wildste verjaardag die er op de hele wereld maar bestaat!'

Nu wilde ik, nee móést ik me naar de anderen omdraaien. Maar ik kon het niet. Overal om me heen stegen zwarte ballonnen op naar de hemel...

'Kom op, Josje! Laat zien wat je kunt!' riep Vanessa. Ze gaf het startsein.

Maar ik hoorde haar niet. Ik was zó blij! Ik keek de zwarte

ballonnen na en daarom zag ik de anderen pas toen ze vlak achter me waren. Achterlijke sukkel! De wedstrijd was allang begonnen! Ik vergat de kletsnatte zoen. Ik wilde de verjaarswedstrijd van de Wilde Bende winnen. Ik was Josje het geheime wapen! En daarom begon ik nu keihard te trappen.

# In de Nevelburcht

Ik had geen voorsprong meer. De anderen zaten me op de hielen. Negen wilde, maar vastbesloten zwarte gestaltes. Vermomd met capuchons en motorbrillen joegen ze me de straat uit. Ze waren groter en ouder dan ik. Dat was gemeen. Maar het had ook een voordeel. Ik was niet klein meer. Ik was niet meer de kleuter van de Wilde Bende. Voor die kleuter moest je de bal voor de strafschop op vijf meter afstand van het doel leggen. En dan maar hopen dat hij hem zou raken. Die vijf meter afstand had Sokke, de hond met de flaporen, óók nodig om een keer de held te zijn. Net als een jaar geleden na onze eerste wedstrijd tegen Dikke Michiel. Nee, ik was nu net zo volwassen als de rest. Ik was een volwaardig lid van de Wilde Bende. En dat was het mooiste, beste cadeau dat ik voor mijn zevende verjaardag had gekregen.

Maar het betekende ook dat ik steeds op mijn hoede moest zijn. Want het leven bij de Wilde Bende was wild, echt wild. Overal lag het gevaar op de loer. En mijn gevaar, Vanessa, zat me op de hielen. Met Leon, Marlon en Rocco in haar kielzog racete ze achter me aan.

Ik voelde haar hete adem in mijn nek. Ze haalden me in! De schaduw van Felix' zwarte piratenzeil viel al over me heen. Daarbij jankte Sokke samen met mijn broer: 'Oeoe-hoe-hoeoeoe! Josje, we krijgen je wel! Oeoe-hoe-hoe-hoeh! We hebben je zó!'

Op dat moment haatte ik Joeri, mijn broer. Maar ik moest toegeven dat hij gelijk had. Ik had de wedstrijd zo goed als verloren. Al na een paar honderd meter zouden ze me ingehaald hebben. Het snelheidsmetertje achter het windscherm gaf ruim 43 aan. Maar dat was niet genoeg. De anderen waren nog altijd sneller. Toen ontdekte ik de rode knop rechts op het stuur.

*Voorzichtig! Alleen in uiterste nood gebruiken!* stond erop. Maar aan een elastiekje daarnaast fladderde een briefje in de wind: *Met hartelijke groeten, je vader! O ja, en veel plezier!*

Dat moest het zijn. Dat was mijn redding. Op mijn vader kon je voor duizend procent rekenen. Ik drukte de knop in en op hetzelfde moment klonk er achter me een enorme ontploffing: KA-TA-BAMMM! TRA-BOEMMM!

Ik viel bijna van mijn fiets, zo hard was de knal! Maar de anderen van de Bende hadden het er moeilijker mee. Ze reden door een knalroze rookwolk. De ontploffing had de

rook uit een soort uitlaat geblazen. Die uitlaat zat onder de dikke, oranje X aan mijn achterwiel. De rook spoot recht in de neuzen van mijn achtervolgers. Ze konden geen hand meer voor ogen zien. Ze waren zo blind als mollen die naar de zonnebank gaan.

'Shit!'

'Krabbenklauwen en kippenkak...'

De vier Bendeleden achter me vloekten. Met piepende remmen en smeulende banden botsten ze op elkaar. Hun wielen waren algauw één onontwarbare kluwen. De anderen volgden even later.

'Alle reusachtige rinocerosdrollen!' schold Raban. Hij slipte. Met zijn tractorachterband sloot hij als laatste aan in de kettingbotsing.

'En die kunnen stinken!' schold Felix. Hij pelde zich uit zijn piratenzeil en staarde door de optrekkende mist. 'Krijg nou wat! Waar is hij gebleven?'

'Bij Santa Panter in de roofdierenhemel!' Rocco schoof zijn zonnebril weer recht na zijn botsing met Marlon. Toen maakte hij een kruisteken. 'Dit is hekserij!' siste hij. Hij keek bezorgd naar de hemel, alsof ik daar ergens op een bezem zou zitten.

'Onzin!' lachte Max. 'Dit was net zomin hekserij als de raketten en de reuzen aan de rivier!'

'Maar het was behoorlijk wild! Dat wel!' fluisterde Leon.

'Ja, het leek wel een film van James Bond!' zei Raban zachtjes. Toen weer hard: 'Hé, Joeri, had je dat gedacht van je kleine broertje?'

'Laat me met rust!' Het eenmans-middenveld zag groen van jaloezie. 'Die fiets heeft mijn vader zelf gemaakt. Kokende kippenkak! Het is zijn schuld dat Josje straks een vette zoen van Vanessa krijgt!'

Joeri grijnsde vol leedvermaak naar de onverschrokkene. 'Of was je dat misschien vergeten, Nessie?'

'Ik waarschuw je!' riep Vanessa dreigend. 'Nog één woord en...'

'...en wat?' vroeg Leon met een grijns.

'Jullie kunnen me wat! Allemaal!' zei Vanessa fel. Ze trok haar fiets uit de kluwen en ging woedend voor de anderen staan. 'Wat nou? Hebben jullie het al opgegeven? Rocco, moet ik je Josjes toverkunstje misschien uitleggen? Naar welke put van de hel is hij gevlucht, denk je?'

Rocco en de anderen van de Wilde Bende keken haar verbaasd aan. Wat was dit voor onzin? Voor hen was de wedstrijd voorbij. Voor hen had ik al gewonnen. Toen liet Vanessa een sleepspoor zien dat van haar voeten over de stoep onder een slagboom door tot op het terrein van het internaat liep. De Nevelburcht, zoals we de blinde vlek midden in het land van de Wilde Voetbalbende noemden.

'Zien jullie dat? Josje is er nog helemaal niet zo zeker van dat hij gaat winnen. Daarom heeft hij de kortere weg over het terrein van het internaat genomen.'

Er werd gefluisterd. Leon en Fabi floten zelfs. Tja, als je heel goed luisterde, kon je in het fluiten Fabi's angstlied herkennen: *Knock, knock, knockin' on Heaven's door!*

'Maar wacht!' Vanessa sprong op haar fiets. 'Josje is er nog lang niet!'

'En hij zal er niet komen ook!' juichte Joeri. 'Waar wachten we nog op? Als mijn broertje al levend door de tuinen rond de Nevelburcht komt, wil ik niet dat hij ook nog wint. Want dan duurt zijn verjaardag minstens een heel jaar. Zo lang zal hij daarover lopen opscheppen.' Hij keek de anderen smekend aan. 'Krabbenklauw en kippenkak! Daar kan ik niet tegen! Daar kan niemand tegen!'

'O nee? Ik dacht dat het je alleen maar om mijn zoen ging!'
Grijnzend reed Vanessa weg. Even later volgde de wilde troep
haar. Met 50 kilometer per uur raceten ze aan de voet van de
muur om de Nevelburcht heen.

Maar ik zat midden in het oog van de orkaan. Ik reed over
een vulkaan op het moment van uitbarsten. Ik dook met een
rotvaart van de Niagara Watervallen. Ik hoopte echt dat ik
heelhuids beneden aan zou komen. Zo belangrijk was de
overwinning voor me. Maar heel langzaam begon die hoop
af te brokkelen.

Waarom had ik niet op mijn fiets vertrouwd? Met de voorsprong van de roze wolk had ik zeker gewonnen. Maar ik
gedroeg me niet als een jongen van zeven. Ik was opeens weer
een kleuter. Kindermenu; kinderijsje. De kleuter van de Wilde
Voetbalbende. Daarom had ik voor mijn ongeluk gekozen, op
het moment dat de roze wolk achter me ontplofte. Ik had mijn
raket-racefiets aan de kant getrokken. Ik was op mijn beenbeschermers onder de slagboom door regelrecht op het terrein
van het internaat beland. Het was een kortere weg. Mijn voorsprong was groot genoeg geweest om op de gewone weg te
winnen. Maar toch reed ik alsof de duivel me op de hielen zat.

En dat moest ook. Dit was mijn enige kans. Het was een
kortere weg. Ik moest hier zo snel mogelijk weer weg zien te
komen. Door de oude, verwilderde tuin. Over de skatebaan
erachter. Daar, op anderhalve meter hoogte boven de halfpipe gaapte een gat in de muur rond de Nevelburcht. Als ik
snel genoeg was, kon ik door dat gat ontsnappen. Anders
kwam ik vast kinderen van het internaat tegen en dan... Alle
knetterende donderkoppen! Dat was de redding en de overwinning. De overwinning van de verjaarswedstrijd. En als
me dat lukte, was ik de held. En dan kon zelfs die spuugzoen
van Vanessa me geen klap meer schelen.

# De Vuurvreters

Ik moest opschieten! Met mijn kin op het stuur schoot ik de oude, verwilderde tuin in. Die was helemaal leeg. Zo leeg als de maan. Drie tellen lang dacht ik echt: *Gelukt! Ze krijgen me niet te pakken!*

Toen hoorde ik hun muziek. Die kwam van het skate-terrein. 'Doeff, doeff, doeff,' stampend en ijskoud. Hij sloeg me als bruisend schuim in mijn gezicht. Het gebonk dwong mijn hart in een ander ritme. De muziek perste zich door de naden van mijn spijkerbroek naar binnen. Alle dansende duivels! Ze waren er.

Zij waren er en ik zou er binnenkort niet meer zijn. De internaatkinderen van de brugklas en hoger waren meedogenloos, genadeloos, onbarmhartig en cool. Zo cool als Magere Hein zelf. Zo cool als de gevaarlijkste heks ter wereld: Staraja Riba. Hun aanvoerder, Wilson 'Gonzo' Gonzales, de bleke vampier, had haar naam als brandend prikkeldraad om zijn bovenarm laten tatoeëren.

Ik kon hem zien. Zijn donkerblauwe pet met de zilveren vlammen glansde in het zonlicht. Hij stond in de halfpipe. In zijn handen leek het skateboard het schild van een roofridder. Hij versperde het gat in de muur.

Mijn nekharen gingen overeind staan. Ik beet mijn kiezen op elkaar. Ik vervloekte de pijn die als warm lood in mijn benen schoot. Die pijn probeerde mijn knie te verlammen.

Maar ik gaf het nog niet op. Ik zette nog een tandje bij en toen zag ik eindelijk de springschans. Maar hij was heel vlak. Een kick voor beginners of gekken, die nooit zouden leren skaten. Als ik snel genoeg was, werd ik zelfs over deze mols-hoop nog wel door de halfpipe en over het hoofd van 'Gonzo' recht door het gat in de muur geschoten. Ha! Wat zou die Gonzo raar staan te kijken! Ik verheugde me nu al net zo hard op dat domme gezicht als op een bord vissticks met ket-chup. Dat was mijn lievelingseten. Ik zou vanmiddag bergen vissticks met ketchup krijgen thuis. Ik was tenslotte jarig. Dit was mijn dag! En ik moest opschieten.

Ruw trok ik mijn nieuwe fiets in de hoogste versnelling. De snelheidsmeter danste en schokte. Toen verdween hij in het rode stukje. Ik hield mijn adem in. Ik reed nu op mijn 16-inch raketfiets-mach-9. Dat wil zeggen: ik scheurde met 50 kilometer per uur weg. Mijn wielen wipten en sprongen. Ze vielen in gaten en kuilen, waardoor de veren het bijna begaven. Het stuur wilde niet meedoen. Het verzette zich als het hoofd van een wilde mustang. Maar ik hield het vast. Hield het nog steviger vast. Mijn knokkels werden spierwit. Zo wit als het gezicht van Gonzales... De bleke vampier keek me aan.

'Vissticks met ketchup! Je krijgt me lekker toch niet!'

Ik racete de schans op. Keihard trapte ik de pedalen rond. Ik trok het voorwiel omhoog. Maar ik sprong niet, ik kwam níét helemáál omhoog. Ik vloog níét over Gonzales heen. En ik verdween níét als een stuk zeep in een schuimbad door het gat in de muur... Ik ging alleen maar onderuit.

Ik slipte. De band van mijn achterwiel gleed weg. Mijn fiets viel om. Met de beenbeschermers gleed ik even hard als op het ijs en met mijn raket-racefiets suisde ik Gonzales voorbij, door de halfpipe, en knalde tegen de muur.

Man, wat stom! Ik stond mooi voor schut! Het gat in de muur boven mij grijnsde me toe en in de halfpipe grijnsde Gonzales. Drie hartslagen lang stond de bleke vampier roerloos. Zijn linkerhand was om de spierbal van zijn rechterbovenarm geslagen. Om die rechterbovenarm slingerde de naam van de heks zich als een prikkeldraad-tattoo.

'Staraja Riba!' fluisterde ik. Op hetzelfde ogenblik draaide Wilson 'Gonzo' Gonzales zich om.

'Precies!'

Hij sprong op de schans, waar ik uitgegleden was. Hij veegde eroverheen en liet me het glibberige slijm op zijn vinger zien.

31

'Zachte zeep!' zei hij. Toen begon hij te rappen:

*Ik zeg je, ja, ik zeg je:*
*Ik kan het niet laten*
*De helft van de wereld*
*zal mij daarom haten.*
*Maar zeep bracht deze*
*wilde kleuter ten val.*
*Zo hee, wat stom!*
*Boemmm! Kadènggg! Knal!*
*Hij ligt en hij huilt*
*en hij jammert om genade.*
*Hij gilt en hij schreeuwt*
*als een dikke vette made.*
*Niemand zal je missen,*
*als voer voor de vissen.*

'Niemand zal je missen, als voer voor de vissen!' klonk het van overal en op hetzelfde moment kwam een tiental Vuurvreters op hun skateboards tevoorschijn.

Ze suisden de halfpipe af en sprongen over de schans, dansten one-eighties, threesixties en echte fiveforties. Ze gleden op een van hun stalen assen over staal en rails en kwamen met soepele ollies en kickflips direct achter Wilson 'Gonzo' Gonzales tot stilstand.

Ik hield mijn adem in, maar mijn hart bonkte en stampte op het ritme van hun muziek. Die dreunde uit de grootste gettoblaster ter wereld: hiphop en rock, Eminem, Off Spring en Linkin Park. Ik kende die nummers goed. Het was ook onze muziek. Maar de Vuurvreters uit de Nevelburcht waren anders dan wij. Die zaten er al helemaal in. Hun wereld was precies als '8 Mile'. Voetbal was allang uit. De stemmen van de jongens begonnen al te breken. 'Sexy' betekende bij hen hetzelfde als bij ons 'wild' of 'cool' en de meisjes in hun team kregen al borsten.

Net als Jamie, het meisje met de camouflagebroek. Ze droeg er een strak roze T-shirt boven. 'Sexy James' stond op haar rug, in gifgroene letters. Wilson 'Gonzo' Gonzales, de bleke vampier, vond dat zo leuk dat hij zijn arm om haar schouders sloeg.

Gadver! Die stond voor schut! Ik spuwde op de grond.

'Hé, James!' lachte Gonzales. 'Wat doen we met dat knul-letje?'

'Ik weet niet,' antwoordde het meisje met een grijns. 'Hij is zo klein en schattig.'

'Vind je?' Wilson trok zijn neus op.

'Ja, dat vind ik!' zei James vals.

Ze wurmde zich los en rolde haar board naar me toe. Oeiii! Ik begon het meisje wel aardig te vinden. Ik bedoel, ze mocht me blijkbaar. En als jij een school haaien tegenkomt, ben jij ook blij als er eentje je vriend is. Of niet soms? En nu moet je

heel eerlijk zijn: wie zou die haai dan nog vragen of hij een meisje was?

Jamie reed in een bocht om me heen. Moeiteloos als een ballerina. Ze bestuurde haar board met haar tenen. Drie keer achter elkaar reed ze dezelfde cirkel. Drie threesixties achter elkaar en dat terwijl ze heel langzaam reed. *Sidderende kikkerdril*, zou Fabi hebben gezegd. Fabi, ja! Want die vindt meisjes best spannend. Maar dan had hij van pure opwinding de volgende strafschop verprutst. Alle denderende donderkoppen! Ik zeg je één ding: meisjes zijn vergif. Je zult zien dat ik gelijk heb. Jamie al helemaal. En ze was nog helderziend ook. Ik bedoel, ze las mijn gedachten als een open boek. Want precies op dat moment stopte ze haar board met een ollie. Die klonk zo messcherp dat ik even controleerde of mijn oren nog wel op hun plaats zaten.

'Ik weet het al. We zetten hem op en maken een knuffelbeest van hem!' zei de meisjeshaai in het roze T-shirt.

Ik kromp ineen. Net was ik nog bang voor mijn oren, maar nu was ik liever doof geweest. Ik wilde de rest helemaal niet meer horen.

'We maken een knuffelbeest van hem!' herhaalde het meisje en ze keek Wilson Gonzales met een lief lachje aan. 'Gonzo, wil je dat voor me doen? Ik smeek het je! Ik heb een knuffelbeestje nodig!'

'De duivel zul je bedoelen!' mopperde Gonzales. 'Jij schiet ze toch alleen maar de lucht in. Het laatste knuffeltje heb je met Oud en Nieuw naar de andere wereld geholpen.'

'Ja,' grijnsde James. 'Ik had er vijftien vuurpijlen aan vastgebonden. Bij de Almachtige Pink! Dat had je moeten zien!'

Ze had het nu tegen mij.

'Ja, echt. Mijn knuffelbeest is met vijftien vuurpijlen opgestegen.'

Ik staarde haar aan. Ik slikte.

'En t-toen?' stotterde ik.

'Hè? Hoe moet ik dat nou weten?' vroeg James. Ze haalde haar schouders op. 'Waarschijnlijk is hij uit elkaar geknald en weggeblazen, of zo!'

Ik was nu nog maar vier jaar. De angstkwal op mijn borst werd steeds zwaarder. En mijn ogen waren zo groot als die van een kikker die tot zijn nek in de bek van een adder steekt.

'Hé, Gonzo! Waar wacht je nog op?' James stampte nerveus op de grond. 'Ik wil die knuffel. Ik heb hem nodig!'

'Oké,' zei Wilson. Hij zuchtte diep. 'Oké! Maar hij is de laatste.'

'Oké!' knikte het meisje. 'Erewoord. Ik zweer het. Ik bewaar de knuffel tot mijn verjaardag. En die is pas over drie dagen.'

Ik versteende. De aanvoerder van de Vuurvreters kwam recht op mij af. Hij bukte zich. Zijn arm met de gevlamde tattoo van Staraja Riba schoot over mijn schouder. Zijn vuist pakte de Wilde Bende-pop in mijn rugzak en trok het knuffelmonster tevoorschijn.

'Hier!' zei hij. En hij drukte het monster in James' armen.

James straalde over haar hele gezicht. Ze sprong van haar skateboard, en toen gaf ze – dat was echt walgelijk! – toen gaf ze Wilson 'Gonzo' Gonzales een zoen op zijn mond. Gadver! Maar Gonzo vond het niet verkeerd. Hij deed zelfs alsof het een visstick met ketchup was. En toen hij zich omdraaide, dacht ik heel even dat hij mij vergeten was. Maar toen wist hij het weer. Het bloed trok weg uit zijn gezicht. Hij werd weer lijkbleek. Zijn dikke wenkbrauwen overschaduwden zijn ogen en zijn stem was zo koud als een ijsmeer in een Transsylvaanse nacht.

'En jij laat je hier nooit meer zien.'

Ik schudde gehoorzaam mijn hoofd.

'Kom! Help die wilde kleuter naar huis.'

Meteen sprongen zijn jongens op me af. Drie namen mijn fiets en tilden hem door het gat in de muur. Toen pakten twee jongens me bij mijn armen en benen en gooiden me achter de fiets aan, de Nevelburcht uit en de straat op. Daar viel ik met een klap op de stoep. Ik dacht meteen aan het verjaarslied van het monster:

*Lang zul je leven!*
*Aan de zolder kleven!*
*Naar beneden vallen*
*En je kont verknallen!*
*Leuk is het leven!*

Extreme tel-agent! Dat was de wijste uitroep van mijn leven. Ik had het grootste gevaar overleefd dat je je maar voor kunt stellen. Ik was aan de Vuurvreters ontsnapt. Ik zou blij moeten zijn, en lachen! Ik zou over mijn kont moeten wrijven, waar ik net op gevallen was, en van het leven moeten genieten. Maar ik kon het niet. James had mijn Wilde Bende-pop, mijn monster, het knobbeligste beest dat een moeder maar voor haar zoon kan maken.

Wilson 'Gonzo' Gonzales begon opnieuw te rappen.

*Ik zeg je, ja, ik zeg je:*
*Ik kan het niet laten.*
*De helft van de wereld*
*zal mij daarom haten.*
*Maar de Wilde Mascotte*
*is nu alleen van ons*

*En al is hij niet van brons,*
*hij is absoluut van ons.*
*Wij zijn de machtigste bende*
*van het Donkere Woud.*
*De Wilde Bende wordt niet oud!*

Daarbij bonkte en dreunde hun muziek. Maar die muziek dreunde en bonkte ook de woede uit mijn lijf. Opeens stond ik in het gat in de muur en ik keek neer op de Vuurvreters. Die vierden hun overwinning. Ze zoefden heen en weer door de halfpipe, maakten allerlei sprongen of rapten en dansten gewoon op de muziek. Maar dat interesseerde me niet. Ik zocht Gonzales en Sexy James. Met hen had ik een appeltje te schillen. En toen ik hen op de Funbox ontdekte, vergat ik dat ik pas zeven was – en alleen.

'Hé Gonzo, hé James!' schreeuwde ik en ik balde mijn vuisten.

De twee keken me verbaasd aan. Maar niet alleen die twee. Alle Vuurvreters remden hun skateboards af. Ze verslikten zich in hun eigen rap. De stem van Peter schalde uit de gettoblaster. Peter was een broodmagere slijmbal met een lange neus en een olijfgroene muts op.

De stilte daarna was dodelijk.

Gonzo deed een stap in mijn richting. Hij was minstens veertien en hij had een stuk of tien vrienden om zich heen.

'Wat is er?' vroeg hij en zijn stem tinkelde als te dun ijs onder messcherpe schaatsen. 'Ik dacht dat ons afspraakje afgelopen was.'

'Hou toch je kop!' fluisterde mijn beschermengel. Hij meende het echt. Hij zat op mijn schouder. 'Voor mijn part bijt je je tong af! Maar zeg geen woord! Ga gewoon weg. Smeer 'm!'

37

'Nee, dat doe ik niet!' riep ik. 'Ik loop niet weg! Hier gaat het om iets wat jij niet snapt. Om eer en trots! Shit, ja! En daarom kun je voor mijn part...'

Ik haalde diep adem. En toen hield ik een toespraak. En die was zo waanzinnig dat mijn beschermengel zijn armen boven zijn hoofd tegen elkaar sloeg. En hij verdronk bijna in zijn eigen tranenvloed.

'Hé, Gonzo en James!' schreeuwde ik nog een keer. Jullie truc met de zeep heeft een baard. Een baard die zo lang is als de neus van Peter. We hebben hem verleden jaar al tegen Dikke Michiel gebruikt! Ik had dat alleen niet gemerkt, omdat ik midden in een wedstrijd zit. Maar luister goed: ik geef jullie drie dagen. Drie dagen, horen jullie? Dan ligt mijn

Wilde Bende-pop schoon en gekamd in het stalletjevan Willie.'

'O ja? En anders?' vroeg James spottend.

'Dan moeten jullie alle gaten en spleten in jullie Nevel-burcht dichtstoppen en hopen dat jullie nooit meer naar buiten hoeven te gaan.'

'Ooo! Ik doe het in mijn broek van angst!' zei Peter, de slijmbal. Hij slikte en het klonk als een verstopte afvoer.

Maar een handgebaar van Gonzo legde hem het zwijgen op. 'Ik luister,' zei hij alleen maar.

Ik beet van schrik op mijn tong. 'Omdat...' stamelde ik. 'Omdat... omdat we Stadskampioen Zaalvoetbal zijn. Omdat de Wilde Voetbalbende hier de baas is. Je kunt het overal lezen. "Wees wild!" en "Alles is goed, zolang je maar wild bent". Dat hebben we op alle muren gespoten. Ja, wij zijn al heel lang bezig buiten. Intussen verstoppen jullie je hier in je rovershol. Jullie spelen met houten plankjes op wieltjes. Jullie zitten hand in hand met meisjes die denken dat "sexy" hetzelfde is als "wild". Gadver! Jullie zijn een stel watjes, slappelingen. Jullie kunnen beter binnen gaan spelen! En daarom geef ik jullie deze raad! Nee, ik wáárschuw jullie. Over drie dagen ligt de Wilde Bende-pop in Willies stalletje. Anders... anders... ja, anders!'

Alle schele schollen! Ik kon niets bedenken. Ik kon niets bedenken omdat de Vuurvreters twee keer zo oud waren als ik.

'Anders? Anders? Ja, anders?' deed Peter me na.

'Anders niets!' anwoordde Gonzales voor mij en hij keek me strak aan. Zijn ogen werden dreigende spleetjes en zijn stem klonk als het ijs waar ik nu doorheen moest zien te breken. 'Ik heb je gehoord. Zeg dat maar tegen je vrienden. En zeg ze ook dat de Wilde Voetbalbende binnenkort niet meer bestaat. Ik haat voetbal, weet je. Dus deze amateur-kleuterschoolvoetballertjes moeten mijn stad uit!'

Ik viel bijna van de muur, maar kon me op het laatste moment nog vastgrijpen. Maar Wilson 'Gonzo' Gonzales keek niet eens meer naar me. Grijnzend gaf hij Peter een teken. Die drukte op de knop. De gettoblaster sprong aan en het bonkende ritme van hun muziek liet de muur van de Nevelburcht trillen. Toen begonnen Wilson Gonzales en Sexy James hun rap:

*Ik zeg je, ja, ik zeg je:*
*Ik kan het niet laten.*
*De helft van de wereld*
*zal mij daarom haten.*
*De Wilde Bende bestaat niet meer.*
*De kleuterschool is dicht.*
*De boomhut staat leeg.*
*Even een ander gezicht!*
*De stad is nu van ons,*
*en dat is het prachtigste.*
*Want van alle bendes*
*zijn wij de machtigste.*
*De Wilde Bende is zo dood*
*als een pier!*
*Maar de Vuurvreters*
*zijn HIER!*

'De Wilde Bende is zo dood als een pier!' vielen de anderen hun twee rappende vrienden bij. 'En de Vuurvreters zijn HIER!'

Het stoorde niemand dat ik nog steeds in het gat in de muur stond. Alle knetterende donderkoppen!

# Het leven gaat door

Ik sprong uit het gat naar beneden. Ik griste mijn fiets van de grond en reed langzaam weg. Ja, langzaam. Als een slak kroop ik over het terrein van het internaat. Mijn gedachten draaiden voortdurend in een kringetje rond. Donkere, zwarte gedachten over de toekomst van de Wilde Bende. Wat had ik gedaan? Wat zou er de komende dagen gebeuren? Tot vanmorgen hadden de Vuurvreters zich nooit met ons bemoeid. Ze waren groter dan wij. Ze interesseerden zich voor andere dingen. Voor dingen die voor ons totaal onbelangrijk waren. In hun ogen waren wij kleine kinderen. Kinderen die je niet serieus nam. Die je moest uitlachen, omdat ze onnozel en lachwekkend waren.

Net als onze dromen. Ja, we droomden ervan ooit het beste voetbalelftal ter wereld te worden. We droomden van een carrière als profvoetballer. We geloofden in het voetbalorakel. We geloofden heilig dat we strakjes als veertienjarigen mee zouden doen aan het WK...

Alle schele schollen! Voor die slijmbal van een Peter, voor Sexy James en Wilson 'Gonzo' Gonzales was dat hetzelfde als in Sinterklaas geloven. Zij wáren al veertien of zelfs ouder. Zij hadden verstand van zulke dromen. Ze wisten wat je met veertien kunt zijn, en wat niet. Daarom waren we ook zo bang voor hen. We waren even bang voor hen als Raban voor het Orakel was geweest.

In de vorige nieuwsjaarsnacht. Dat weet je vast nog wel. De uitspraak van het Orakel was vreselijk geweest. Onbarmhartig en koud: Raban was gewoon te slecht. Hij had twee verkeerde voeten. Hij zou nooit een profvoetballer worden. KLABAMM! Dat was een klap in zijn gezicht geweest. Zijn droom was als een zeepbel uit elkaar gespat en wij waren opgelucht dat het hém was overkomen. Hem en niet ons. Maar hoe konden we weten dat het met ons niet precies zo zou gaan? Hoe konden we zeker weten dat onze dromen iets anders waren dan zeepbellen in de storm?

En die storm zou komen. De Vuurvreters waren actief. Voor het eerst in de geschiedenis van de Wilde Voetbalbende V.W. kwamen ze uit hun Nevelburcht tevoorschijn. Bij de koning van alle monsters! Hoe moest ik dat aan mijn vrienden uitleggen? Hoe moest ik ze uitleggen dat onze dromen en de Bende binnenkort niet meer zouden bestaan?

'Gefeliciteerd, broertje! Je hebt de snelste fiets van de wereld!'

De spot van Joeri rukte me uit mijn gedachten. Zelfs Sokke in het zijspan lachte me uit. Ik reed zo langzaam als een slak. De andere leden van de Wilde Bende stonden al voor het schoolplein. Ze hijgden niet. Hun ademhaling was rustig. Hun haar was helemaal niet nat van het zweet. Ze moesten hier al een eeuwigheid staan.

'Hé, Josje!' riep Raban. 'We hielden toch een wedstrijd? Was je dat vergeten?'

'Ach, onzin!' lachte Joeri. 'Hij is alleen maar bang! Hij is bang voor de glibberige kus van Vanessa!'

Ik balde mijn vuisten. Ik wilde Joeri slaan, maar Vanessa keek hem aan en riep dreigend: 'Pas op je woorden, mannetje! Want anders zoen ik jou!'

Mijn broer werd vuurrood. Hij mompelde, siste en wilde iets zeggen. Maar hij wist niets te verzinnen.

'Wat is er gebeurd?' vroeg Vanessa bezorgd. Ze keek me onderzoekend aan. 'Ben je ze tegengekomen?'

Ik slikte. Ik keek haar aan. Ik wilde alles ontkennen. Maar ik knikte al. Ik kon niet anders.

'Hottentottennachtmerrienacht,' siste Raban. Hij werd lijkbleek.

'Hem ook?' vroeg Felix geschrokken. 'En haar?' Zijn adem werd heel vlak en hij begon te piepen als een fluitketel.

'Ja. Hem, haar en die slijmbal van een Peter,' fluisterde ik. 'Allemaal. Het worden er steeds meer.'

'Alle gillende krokodillen!' fluisterde Max.

Rocco sloeg een kruisteken. 'Bij Santa Panter in de roofdierenhemel!' Hij staarde me aan, alsof ik zelf al een vampier was. Alsof Sexy James en Wilson Gonzales me hadden gebeten. Het liefst had hij me met wijwater besprenkeld, of met zilveren kogels doorboord. Vervolgens zou hij me met knoflook versierd hebben. En dan had hij me per expres aan de Vuurvreters teruggestuurd.

'En?' vroeg Leon. Het lukte hem bijna om het trillen van zijn stem te verbergen.

'Wat "En"?' echode ik om tijd te winnen.

'Je weet best wat hij bedoelt!' riep Fabi.

En Marlon was het ergste van allemaal. Die keek me alleen maar aan...

In mijn binnenste begon alles te draaien. Ik moest de waarheid vertellen. Ze waren toch mijn vrienden? Maar dat was juist het probleem. Begrijp je dat niet? Hoe moest ik mijn vrienden uitleggen dat hun wereld zou instorten? En wel over precies drie dagen. En dat het mijn schuld was. Nee! Dat kon ik niet. Dat wilde ik niet. Daarom liet ik mijn hoofd hangen. Ik keek naar mijn voeten. Ik treuzelde en ik probeerde wanhopig om te vergeten dat ik al zeven was. Ik probeerde wanhopig om weer de kleuter van de Wilde Bende te zijn.

'Ze lachten me uit,' jammerde ik. 'Ze lagen dubbel. En ze hebben mijn Wilde Bende-pop afgepakt.'

'Nou én?' verbrak Marlon zijn zwijgen.

'En nu?' vroeg Leon. Hij boog zich naar me toe. Dat moest hij ook, want ik praatte nu nog maar heel zachtjes.

'Ze zeiden dat ze hem naar de maan gaan schieten.'

'Dat zal me worst wezen,' snoerde Leon me de mond.

Ik slikte. Ik maakte mijn blik los van mijn voeten en keek hem aan. 'Maar ik had hem voor mijn verjaardag gekregen van mijn moeder. Zij heeft hem zelf gemaakt.'

'Boeit niet,' zei Leon. 'Wat is er nog meer gebeurd?'

Ik kromp in elkaar. Ik slikte moeilijk. Ik wilde het zeggen. Ik wilde echt alles vertellen. Maar ik kreeg het gewoon niet uit mijn strot.

'Niets,' fluisterde ik. 'Helemaal niets. Ze hebben me weggestuurd. Terug naar de kleuterschool.'

'Waarheen?' Fabi ontplofte. 'Zeg dat nog eens?'

En hoewel ik dat hardnekkig vertikte, werd Fabi steeds woester.

'Leon! Daarvoor zullen ze boeten! Rocco, Max, Vanessa! Wat vinden jullie? Laten we dit gebeuren?'

De anderen staarden Fabi aan. Ze waren ook woedend. Ze drukten hun vingernagels in de handvatten van hun stuur. Maar ze zeiden geen woord. Dat was te gevaarlijk. Je daagde de Vuurvreters niet uit. Nee! Die waren te machtig voor ons. Ze waren alles waar wij bang voor waren. En daarom deden we alsof ze niet bestonden. De Nevelburcht was niet méér dan een blinde vlek midden op onze Wilde Bende-landkaart. En met dichtgeknepen ogen wensten we elke dag dat de Vuurvreters die witte plek nooit zouden verlaten. Ik had het vanmorgen bij het verjaarsontbijt al gewenst: dat alles zou blijven zoals het is.

Dat gold ook voor Fabi. Hij was het in zijn woede maar een paar seconden vergeten. Nu voelde hij ook de ijzige wind die me uit de Nevelburcht achterna waaide. Daarom schoof hij zijn fiets net zo stilletjes in het fietsenrek van school als wij.

In de klas was het snikheet. De les was taai. In de pauze slenterden we rond alsof we door de stroop moesten waden. We konden nauwelijks wachten tot de bel ging. Toen raceten we weg.

We reden alsof ons leven ervan afhing. Op onze fietsen sprongen we over de heuvel de Duivelspot binnen. In deze grootste heksenketel aller heksenketels, het stadion van de Wilde Voetbalbende, wachtte Willie op ons. Willie was de beste trainer van de wereld.

Hij joeg ons over het veld. Hij pakte ons hard aan, nog harder dan de echte profs. Van medelijden had hij nog nooit

gehoord. Ook niet bij Felix, die astma had, of bij mij, de kleinste van het team!

We vloekten en scholden en Raban plukte aan zijn rode
haar. Zijn jampotbril gleed als een stuk zeep over zijn neus,
zo zweette hij. Deniz' rode hanenkam plakte donker en
kletsnat op zijn hoofd. Fabi, de loper die door niets omver te
duwen was, hijgde als Felix. Mijn broer Joeri, het eenmans-
middenveld, kon bijna geen pap meer zeggen. En Leon en
Marlon, de vechters, beten op hun tanden. Ze balden hun
vuisten als boksers en hadden één ding gezworen: we gaan
niet door de knieën. En Vanessa wierp Willie blikken toe
waarvoor ze een wapenvergunning zou moeten hebben.

Maar verder had niemand bezwaar. Integendeel. We namen de uitdaging aan. We zochten onze grenzen en we verlegden ze. Dit was net als de sprong van de brug vóór onze eerste wedstrijd tegen Ajax. Weet je nog? Dat wilden we eerst ook niet, maar toen durfden we toch. En we waren sterk! Knetterende donderkoppen! En precies zo sterk wilden en moesten we nu weer worden. Want vandaag was het dinsdag en op zaterdag was alweer de eerste wedstrijd in de terugronde. Het ging om het kampioenschap in de achtste dimensie. En hoewel onze tegenstander een jaar ouder was dan wij, hoewel de VV Waterland met zes punten boven ons de lijst aanvoerde, gaven we de strijd om de titel nog lang niet op. Nee, bij alle schele schollen! We zetten de kiezen op elkaar en vochten tot we erbij neervielen. En toen we in het schijnsel van de bouwlampen onze nieuwste trucs oefenden voor de vrije trap, ging het weer prima met ons.

Max 'Punter' van Maurik legde de bal aan de rechterkant van het strafschopgebied. Toen liep hij vijf passen terug voor de aanloop. Heel langzaam en met ogen als spleetjes. Hij zag elke speler in de Duivelspot. Hij voelde mij in zijn rug. Toen nam hij een aanloop. Vóór hem werd het doel gebarricadeerd door een muur. Die bestond uit Vanessa, Jojo, Deniz en Joeri.

Daarachter loerde Marc tussen de palen. Felix werd op de linkervleugel door Raban gedekt. Fabi de snelste rechtsbuiten ter wereld werd door Rocco als door zijn eigen schaduw achtervolgd. En Marlon de nummer 10 hield zijn broer Leon achter Willies rug vast aan zijn shirt. Max kon alleen maar recht op het doel schieten. Daar rekende iedereen op. Iedereen verwachtte zijn Drievoudige M.S., zijn Mega-Machtig-Monster-Schot.

Maar nog voor de eerste stap van zijn aanloop greep Max naar zijn neus en dat was het teken. In plaats van te schieten speelde hij de bal zonder aanloop en kort naar links. Daar verscheen ik uit het niets. Ik, Josje het geheime wapen, kwam achter Maxi's rug vandaan en keek op mijn gemak rond. De muur stond nu voor mij te ver naar rechts om goed te kunnen schieten. Marc stond veel te ver naar links in het doel. De lange hoek viel wagenwijd open en iedereen op het veld keek toe hoe ik de bal erin schoot.

Alle knetterende donderkoppen! Toen was ik weer zeven. Toen was ik eindelijk weer jarig. We waren de Wilde Voetbalbende V.W., het elftal dat klaar was om de wereld te veroveren. Op het einde van de training stonden we voor Willies stalletje en de welverdiende cola verdampte in onze kelen. Ik nodigde al mijn vrienden uit voor mijn feestje. Eindelijk was ik een volwaardig lid van de Wilde Bende geworden. En ik zou het verjaarsfeest geven dat daarbij hoorde.

# Griezelnacht in Camelot

Drie dagen later kwamen we bij elkaar in Camelot. Camelot was een boomhut van drie hoog die Joeri en ik in onze tuin gebouwd hadden. Sinds onze eerste wedstrijd tegen Ajax was Camelot zo'n beetje ons hoofdkwartier. Hier hadden we het plan van de revolverheld bedacht. Hier vochten we tegen Dikke Michiel en zijn Onoverwinnelijke Winnaars. We goten eerst honing over Dikke Michiel heen, en daarna kippenveren. We hadden de boomhut tot een echte burcht verbouwd.

Maar nu was er vrede. Het was vrijdagavond. Onze wedstrijd was pas zaterdag vroeg in de middag. Willie was genadig geweest. We mochten van hem tot tien uur opblijven. 'Bij wijze van uitzondering!' had hij gezegd. 'Hóge uitzondering. Maar om tien uur liggen jullie allemaal in bed. Duidelijk?'

We knikten gehoorzaam, maar achter Willies rug grijnsden we naar elkaar. Het woord 'bed' betekende op dat moment 'slaapzak' en onze slaapzakken lagen op Camelot.

O ja, dat heb ik je nog helemaal niet verteld! Mijn feest zou een griezelnacht worden. En omdat ik niet wil dat je straks bang wordt, waarschuw ik je maar vast.

En een griezelnacht werd het! Alle flitsende bliksems! Griezeliger en enger dan ik wou. Daarom kun je dit stukje beter overdag lezen. En het liefst als je moeder in de buurt

is... Ja, lach jij maar! Maar knoop dan één ding in je oren: het zal voorlopig je laatste lach zijn...

In die nacht begon de donkerste tijd van ons leven. Zoiets vreselijks hadden we echt nog nooit meegemaakt. Zelfs nu nog lopen de rillingen over mijn rug als ik eraan denk. En mijn stem wordt zacht en schor als ik erover vertel.

Maar gelukkig wisten we daar op deze vrijdagavond nog niets van. Ik was zelfs mijn aanvaring met de Vuurvreters vergeten. Geen moment dacht ik meer aan wat ik tegen ze had gezegd. *Ik geef jullie drie dagen. Dan ligt mijn Wilde Bende-pop schoon en gekamd in het stalletje van Willie.* En die drie dagen waren vannacht voorbij.

Weet je het nog? Nou, ik niet meer. Ik wilde het niet meer weten. Daarom ging het fantastisch met ons. Super-fantastisch zelfs. En om het nog fantastischer te maken, hadden we bergen vissticks van mijn moeder gekregen, met ketchup en een heleboel cola van mijn vader erbij.

We aten de vissticks tot de laatste kruimel op. En we dronken cola tot er geen druppel meer over was. Zelfs de chocoladepudding met de emmer slagroom werkten we helemaal weg. Daarna hesen we ons de boomhut in. We klommen naar boven en rolden onze slaapzakken uit in een kring. Toen wachtten we op het magische uur.

# Staraja Riba en de Almachtige Pink

Eindelijk verfde de zon de hemel vuurrood. Nou ja, als ik eerlijk ben was hij roze. Dat zagen we door de schietgaten van Camelot. De boomhut kreunde en kraakte en heel in de verte jankte een hond als een wolf. Of was het misschien een van de vleerkatten van Staraja Riba, de gemeenste heks van de wereld?

Mmm. Dat zouden we wel zien. We waren er klaar voor. Dit was het magische uur. Het uur waarin de Almachtige Pink de wereld tegen de boze heks beschermt. Ik gaf Felix mijn lievelingsgriezelboek. En toen hingen we allemaal aan zijn lippen. Felix de wervelwind kon fantastisch voorlezen. Het was of er een film voor ons werd gedraaid. We konden amper wachten.

'Hé, Felix, begin nou!' riep Vanessa.

'Ja! Hoe lang duurt het nog?' riep Jojo.

Rocco sloeg een paar keer een kruisteken. 'Bij Santa Panter in de roofdierenhemel! Schiet op, Felix!'

De wervelwind knikte. Hij sloeg het boek open, bladerde een paar bladzijden verder en vond toen wat hij zocht.

'Het was een avond als alle andere,' begon hij. De anderen mompelden dat het mijn verjaarsfeestje was. En dus helemaal geen 'avond als alle andere'.

'Het was een avond als alle andere,' herhaalde Felix spottend boven de protesten uit. 'Het roze paleis zweefde om de wereld op de wolken van de zonsondergang. De roze koning, de Almachtige Pink, vloog met zijn roze flamingo's door de wolken en verfde die met zijn penseel rozerood. Dat moest hij doen. Zo beschermde hij de dag tegen de nacht. En zo gaf hij de mensen op aarde de hoop dat ze de duisternis zouden doorstaan. In de duisternis huisde de verschrikkelijke heks Staraja Riba. En die wilde niets anders dan de hele wereld naar haar lelijke, knobbelige hand zetten...'

Felix haalde diep adem en ik moest een paar keer slikken. Ik keek even door een van de schietgaten en haalde opgelucht adem. Gelukkig! De hemel was nog steeds roze.

'Ga door!' fluisterde ik.

'Ja, hottentottennachtmerrienacht!' zei Raban zachtjes. Hij kroop dieper weg in zijn slaapzak.

Felix keek me aan. Hij sloeg de bladzijde om. Het knisperen van het papier verscheurde de stilte. Toen las hij door.

'De heks woonde aan het einde van de wereld, op een klip. Het was er aardedonker. Daar huisde ze als een lelijke spin. Ze had vier armen en vier benen en op deze acht broodmagere, benige en kromme poten gleed ze snel over de glibberige rots. Ze stak haar neus in elke scheur en spleet. En altijd als ze een vleerkattennest vond, jankte en jammerde ze van vreugde. Want die vleerkatten zijn de gemeenste beesten die je je maar kunt voorstellen. Elke nacht vlogen ze om de hele wereld. En waar ze waren, vingen ze met hun harige vleugels een heel bepaalde geur voor de heks. De geur van verborgen zwakte. Ze vingen die geur en brachten hem op hun vlerken terug naar de hel, terug naar Staraja Riba. De heks hunkerde ernaar. Ze kon er niet genoeg van krijgen. Met haar kromme, lange neus snoof ze de geur op en snotterde hem terug in haar mond. Net als een olifant. Die duwt soms met zijn slurf

dingen in zijn bek. Als Staraja Riba dat deed, was het een afgrijselijk, maar noodzakelijk ritueel. Alleen zo kon de heks de juiste afkomst van de geur bepalen. Tot op de millimeter nauwkeurig haalde ze de kenmerken en de plaats van zijn bezitter eruit. Ja, en toen wist ze waar ze toe moest slaan. Bliksemsnel sprong ze de lucht in en pakte met haar armen en benen elke keer twee van de om hen heen fladderende vleerkatten bij hun klauwen. Onder de zestienkoppige wolk van krijsende beesten vloog ze de nacht in. Want iedereen die een verborgen zwakte had, was een welkom offer voor de donkere kant van de macht. Voor de macht van Staraja Riba!'

Felix zweeg even. Hij keek op van het boek en betrapte sommigen van ons erop dat ze stiekem aan zichzelf probeerden te ruiken. De boomhut kraakte en kreunde. Door de schietgaten kon je zien dat het buiten al bijna donker was. Alleen nog een dunne, roze sluier waaide aan de horizon. Zo meteen was de Almachtige Pink met zijn paleis verdwenen. Dan liet hij ons achter zonder bescherming. Ik drukte voor de eerste keer op de knop van de afstandsbediening in mijn slaapzak. De gettoblaster had ik in de torenkamer van Camelot verstopt. Hij sprong aan. Het gekrijs en gefladder dat we nu boven onze hoofden hoorden, verdween langzaam.

'Gillende krokodillen!' zei Max zachtjes.

Rocco sprong op. 'Santa Panter en Santa Jaguar! Wat is dit? Marlon!'

'Shit! Dat kan toch niet,' fluisterde Vanessa zo zachtjes dat het nauwelijks te horen was. Ze keek angstig naar boven. Felix kneep in het boek tot zijn knokkels wit waren.

'Lees verder,' fluisterde ik. 'Alsjeblieft, Felix. Of zijn jullie nu misschien bang?'

Ik keek om me heen. Mijn vrienden keken me aan. Hoe kon ik zoiets vragen? Rocco was me het liefst naar mijn keel gevlogen, zo beledigd was hij. Hij merkte opeens dat hij de enige was die stond. Hij herinnerde zich dat hij van schrik was opgesprongen en streek verlegen over zijn kleren.

'Natuurlijk zijn we niet bang!' mompelde hij. Hij kroop weer in zijn slaapzak. 'Bang! Laat me niet lachen. Waarvoor dan? Het is toch maar een kinderverhaaltje! Ja, toch?' Rocco probeerde te lachen, maar dat mislukte.

'Marlon! Leon? Wat is er?' deed hij een laatste poging. 'Dit is toch... grappig... of niet?'

Rocco zweeg. De anderen keken hem aan. Ze waren het

helemaal niet met hem eens. Ze waren bloedserieus. Echt waar. Want over Staraja Riba maakte je geen grapjes. Daarvoor was de heks veel te gevaarlijk. Zelfs de Vuurvreters geloofden dat nog. Of was je dat misschien vergeten? Wilson 'Gonzo' Gonzales had de naam van de heks in een tattoo als brandend prikkeldraad om zijn bovenarm laten tatoeëren. En toen Sexy James vloekte, siste ze de naam van de Almachtige Pink!

'Waar wacht je nou op? Lees nou maar verder, Felix!' bromde Rocco.

Ik drukte nog een keer op de knop van de afstandsbediening.

'De vleerkatten keerden terug en boven hun gefladder en gekrijs uit klonk nu de schrille stem van Staraja Riba,' ging Felix verder.

'Hottentottennachtmerrienacht!' kreunde Raban. Hij trok zijn slaapzak over zijn bril.

Zelfs Leon en Fabi bewogen zich niet. Ze hielden hun adem in tot het fladderen weer verdween.

'Sidderende kikkerdril!' Fabi haalde opgelucht adem.

'Dat kun je wel zeggen!' fluisterde Leon.

'Ik ben nog nooit zo bang geweest, behalve dan bij de griezelnacht aan de rivier,' bekende Max. 'Alle reuzen en raketten! En Dikke Michiel die plotseling in de geheime hal opdook! Maar dat was allemaal door jullie in scène gezet. Mij kon niets gebeuren...'

Ik kon mijn grijns nauwelijks verbergen. Mijn feestje was super! Het idee om de gettoblaster in de torenkamer te zetten, met vleerkatten- en heksengeluiden, was steengoed.

'Felix, lees maar verder!' riep ik.

Toen sprong Joeri op. 'Wacht even!' riep mijn broer. 'Eén momentje!' Joeri keek me onderzoekend aan. Hij probeerde mijn gedachten te lezen en dat lukte hem. 'Eén momentje!' herhaalde hij.

Hij klom de ladder op naar de tweede verdieping. Toen naar de derde. Hij trok de deur naar de torenkamer open en staarde naar de gettoblaster in de hoek...

'Josje, je gaat eraan!'

Knetterende donderkoppen! Nu werd ik pas echt zenuwachtig. Maar wat moest ik doen? Leon stak zijn hand in mijn slaapzak en vond de afstandsbediening.

'Die kleine, boze dwerg heeft ons allemaal te pakken gehad!' schreeuwde mijn broer. Met veel lawaai kwam hij weer naar beneden. 'Hou hem vast! Hij gaat eráán!'

Maar ik glipte al tussen Leons benen door, kroop over Raban heen, duwde Marc opzij en sprong uit de boomhut.

'Mama!' riep ik. 'Mama! Het is niet eerlijk!'

De hele meute sprong achter me aan. Ik keek rond. Waar moest ik heen? Kon ik me nog ergens verstoppen?

En toen versteenden we allemaal. Van de ene hartslag op de andere was het stil. Doodstil. En in deze stilte keerden de vleerkatten terug. Ze krijsten en schreeuwden en daarbovenuit klonk het boosaardige lachen van de heks. En terwijl de gettoblaster het hoogtepunt van mijn griezelnacht afspeelde, staarden we met grote ogen naar mijn Wilde Bende-pop. De pop die ik voor mijn verjaardag had gekregen. De Vuurvreters hadden hem afgepakt. Maar nu was hij er opeens, alsof hij door spoken was teruggebracht.

Bij alle knetterende donderkoppen!

De pop zat op de trap naar onze boomhut. Een wonderkaars verlichtte zijn voetbalschoenen. De noppen waren er afgevijld en de wonderkaars bleek een lont. Die liep naar een bosje vuurpijlen op de rug van mijn ruwharige vriend. Ik snakte naar adem. Toen begonnen de pijlen te branden. Ze schoten met het kleine monster de lucht in, sisten, knetterden en ontploften in een tiental vuurballen om de pop heen. Daarna was de hemel zwart. Pikzwart. En uit dit zwart kwam de Wilde Bende-pop naar beneden suizen en hij plofte recht voor onze voeten zachtjes neer...

# De bleke vampier

'Sexy James!' Ik schreeuwde en balde mijn vuisten. 'Waar zitten jullie, lafaards? Wilson "Gonzo" Gonzales!'

'Hier!' tinkelde het als brekend ijs ergens achter ons.

We keken om.

De aanvoerder van de Vuurvreters keek minachtend op ons neer. Hij stond boven op Camelot. Boven op onze burcht. Boven op de onneembare vesting van de Wilde Voetbalbende. En wij stonden er als een stel sukkels voor. Alsof we de sleutel waren vergeten en onszelf hadden buitengesloten.

'Wat is er?' vroeg Wilson spottend. 'Ben je onze afspraak vergeten?'

De andere leden van de Wilde Bende keken me verbaasd aan.

'Wat bedoelt hij daarmee?' vroeg Leon. 'Josje, heb je ons niet alles verteld?'

'Dat spijt me dan echt!' spotte Gonzales. 'Ik dacht dat jullie een feestje gaven voor ons. Om ons te verwelkomen. We brengen tenslotte jullie mascotte terug. O ja, en ook ons antwoord op jullie dreigement.'

De walgelijke glimlach rond Wilsons mond verdween. Zijn gezicht werd een stalen masker.

'Luister goed! Ik zeg dit maar één keer!' Wilson boog zich naar voren en hoewel hij fluisterde, deden we onwillekeurig allemaal een stap naar achteren.

'Vanaf vandaag bestaat de Wilde Bende niet meer.'

Zoals gezegd, Wilson 'Gonzo' Gonzales fluisterde alleen maar. Het was echter pijnlijk duidelijk: wat hij wilde, gebeurde ook.

'Goed. Ik zie dat we elkaar begrijpen. Daarom zal ik ook niet te streng zijn. Ik geef jullie de tijd. Het hele weekend. Dat zijn meer dan 48 uur! Maar dan zijn echt alle sporen van de Wilde Voetbalbende verdwenen.'

Hij keek ons een voor een strak aan.

'Ik heb het over die graffiti. En dan bedoel ik elk logo. Of het nou op de muur, op T-shirts, op fietsen of op jullie onderbroeken staat. Ik heb het over jullie strijdkreet en jullie Wilde Bende-groet. Over jullie bijnamen, jullie scheldwoorden en jullie spelerscontracten. Alles moet binnen 48 uur verdwenen zijn. Alsof het nooit bestaan heeft. Als jullie je er niet aan houden, zullen jullie dat zeker niet overleven. Dan is het oorlog.'

De bleke vampier ademde uit. Het was of we zijn ijzige adem konden voelen. Die adem verlamde ons. We werden zo stijf en koud als kikkers in de winter.

'Ik wil jullie niet met te veel werk opzadelen. Daarom neem ik deze hier vast mee.'

Hij hield de zwarte bal in de lucht. De zwarte bal met het logo van de Wilde Bende erop. De bal die Raban hoogstpersoonlijk van het voetbalorakel had gekregen, omdat hij op zoek moest naar zijn nieuwe taak. Onze toekomst. De deelname aan het WK 2010. Ja, deze bal was zwarte, ronde magie. Hij was onvervangbaar. Het voetbalorakel vond maar eenmaal in de 24 jaar plaats: altijd in de nieuwjaarsnacht. Als in de nachten rond de kerst daarvóór tenminste de vuurvliegjes gloeiden. Zoiets zouden wij nooit meer meemaken. Nooit meer.

Maar daar zat Wilson Gonzales niet mee. Hij leek nergens mee te zitten.

'Hatsjie!' nieste hij. Daardoor spatte onze droom van de WK 2010 als een zeepbel uit elkaar. 'Hatsjie! Hatsjie!' Hij moest zo hard niesen dat hij ervan stond te schudden.

'Hatsjie! James! Waar zit je toch? Bij de Almachtige Pink!'

Het volgende ogenblik verscheen het meisje in de camouflagebroek en het roze T-shirt op straat achter het tuinhek.

'Háátschie!' Wilson kromde zijn rug alsof hij verschrikkelijke pijn had. 'Gadver, James! Ik heb niet alleen een bloedhekel aan voetbal. Ik ben er ook nog allergisch voor. Dat weet je toch! Hatsjie!'

Wilson gooide de bal naar haar toe. Toen greep hij een van de touwen beet die van de boomtakken naar beneden hingen en zwaaide over onze hoofden naar haar toe, de straat op. Hij landde op zijn skateboard. Hij nieste nog een keer, maar toen was hij weer zichzelf. Hij schopte zijn skateboard met een heelflip van de grond. Hij nam een aanloop en... stond binnen een seconde op de tuinmuur. Even later gleed hij over de tuinmuur weg, de nacht in. Maar Sexy James bleef achter. Ze draaide rondjes voor het tuinhek. Ze maakte een handstand op haar rollende board. Toen sprong ze weer op. In haar ogen stond een blik van de grootste minachting.

'Kom! Wegwezen!' Leons stem sneed door de stilte. 'We gaan onze bal terughalen.'

Dat was de toverspreuk. Binnen een tel waren we wakker geschud uit onze verdoofde verbazing. Geen skateboarder zou aan onze fietsen kunnen ontsnappen. Gonzales' voorsprong was nog niet groot genoeg en het meisje reed nog steeds rondjes voor het hek. We sprongen op onze fietsen. We keerden ze op de achterband en reden weg.

'Alles is cool! Zolang je maar wild bent!' riepen we in het donker.

Sexy James stopte haar skateboard. Ze keek ons verbaasd aan. Ze wist dat we haar nu hadden. Of liever gezegd, we dáchten dat we haar hadden. Maar onze sturen stonden dwars. Onze achterbanden slipten en glibberden alsof we over het ijs reden. Ten slotte lag de hele Wilde Bende op de grond. Zelfs Vanessa was geveld. Stomverbaasd lagen we onder onze fietsen op het asfalt en staarden naar de doorgestoken banden.

Toen hoorden we Sexy James. Ze riep: 'Bij de Almachtige Pink! Wat zijn jullie flink!'

Ze vouwde haar zakmes dicht en stak het weg. Toen gooide ze de rugzak met onze bal erin over haar schouder. Even later rolde ze er rappend vandoor, nadat ze nog even een casper had gemaakt.

*Ik zeg je, ja, ik zeg je:*
*Ik kan het niet laten.*
*De helft van de wereld*
*zal mij daarom haten.*
*De Wilde Bende bestaat niet meer.*
*De kleuterschool is dicht.*
*De boomhut staat leeg.*

*Even een ander gezicht!*
*De stad is van ons,*
*en dat is het prachtigste.*
*Want van alle bendes*
*zijn wij de machtigste.*
*De Wilde Bende is zo dood*
*als een pier!*
*Maar de Vuurvreters*
*zijn HIER!*

# De schorpioen en de kikker

Nu was het dus gebeurd. De Vuurvreters waren uit de Nevelburcht gekomen en wilden de heerschappij over de stad. Hun aanvoerder, Gonzo, de bleke vampier, strekte zijn hand uit naar het land van de Wilde Bende. Hij wilde het elftal voor altijd uitschakelen.

Mijn vrienden hurkten in het gras voor de boomhut. Ze keken me verwijtend aan. Ik zag hun gezichten en ik zag de angst. Ik zag mijn angst. Ik hield mijn Wilde Bende-pop in mijn armen en aaide zijn gehavende vacht. Boven ons kreunde en kraakte de boomhut en uit de torenkamer brulde mijn gettoblaster nog steeds. De vleerkatten fladderden en krijsten boven onze hoofden en de heks lachte ons uit:

*Ha ha ha!*
*Ga je maar lekker verstoppen!*
*Steek vooral je kop in het zand.*
*Ha ha ha!*
*Het zal je echt niet helpen!*
*Nu zijn jullie aan de beurt!*

Leon sprong op met gebalde vuisten. 'Kokende kippenkak! Josje, zet dat ding toch af!'

Maar dat ging niet. Toen we gevlucht waren, had ik de afstandsbediening in de boomhut laten liggen.

'Ha ha ha!' lachte de heks weer. 'Het zal je echt niet helpen. Nu zijn jullie aan de beurt!'

'Fabi!' fluisterde Leon. Hij was nooit ergens bang voor, maar nu leek het of hij zijn oren wilde dichtstoppen. 'Fabi! Ik smeek het je.'

Toen sprong de snelste rechtsbuiten ter wereld meteen op. Hij stormde naar de boomhut, klom de drie verdiepingen op en legde de gettoblaster en de heks eindelijk het zwijgen op.

Leon haalde opgelucht adem. 'Hè, hè! Bedankt, Fabi!' Toen keek hij mij aan. 'En jij vertelt ons nu alles wat je gedaan hebt.' Hij keek me kwaad aan en ik geloofde dat hij me het liefst in mootjes had gehakt. Dat wilden ze allemaal wel. Stelletje tijgerhaaien! Ik slikte een brok in mijn keel door. Maar het was er niet één. Het leek een hele schaal vol.

'Eh... ik? Ik... heb alleen maar gezegd dat zij denken dat "sexy" zoiets is als "wild". En dat ik dat walgelijk vind.'

'Dampende duiveldrollen!' fluisterde Marc.

'Ja, en dat ik ze watjes vind, en slappelingen. En ik heb ook nog gezegd dat ze beter binnen kunnen gaan spelen.'

'Hippopotamus-stierenstaartzooi!' Rabans rode jampotbril besloeg van de schrik.

'Ja, maar dat is toch zeker zo!' verdedigde ik me. Ik kon niet anders. Dat was net zoiets als bij de schorpioen en de kikker. 'Ze lopen hand in hand met meisjes en ze verwisselen "sexy" met "wild". Gadver. Ik moet er bijna van overgeven!'

'He-he-heb je dat ook nog tegen z-ze gezegd?' stotterde Felix.

'Natuurlijk,' antwoordde ik. 'En daar schrokken ze wel van!'

'Geloof dat maar gerust,' fluisterde Vanessa. 'Dat hebben we net allemaal gemerkt.'

'Inderdaad! Dampende kippenkak!' Leon sloeg met een vuist tegen de boom. Hij was woedend. 'Was dat het, Josje? Of is er nog meer stront aan de knikker?'

Deze vraag klonk dreigend. Bij de volgende verkeerde opmerking zou Leon me naar de keel vliegen. Dat voelde ik. Dat wist ik. Maar ik kon niet anders. Ik moest doen wat een schorpioen moet doen. Ik sprong op en viel aan.

'Nee! Er is geen stront meer aan de knikker!' riep ik tegen Leon. 'Ik heb ze gewaarschuwd. Ik heb gezegd dat ik mijn Wilde Bende-pop binnen drie dagen terug wilde hebben. En ik heb gezegd dat ze zich van nu af aan beter in de Nevelburcht kunnen opsluiten.'

Dat was de druppel. De stuwdam brak door. Leon stortte zich op me en Joeri, mijn eigen broer, hielp hem daar graag bij.

'Alle krabbenklauwen! Je bent gestoord! Wat heb je gedáán!' schreeuwde hij.

Van twee kanten kwamen ze op me af. Maar ik had een reusachtig voordeel. Ik was klein en licht. Dus glipte ik tussen hun benen door. Ik rende naar de boomhut en een paar tellen later was ik op de eerste verdieping. Daar trok ik de ratelende ophaalbrug omhoog. Pfff, voor even was ik veilig. Even later stond ik op de boomhut en keek op de Wilde Voetbalbende neer, zoals Wilson net nog had gedaan.

'Maar dat is nog niet alles!' riep ik. 'Ik heb ze gezegd dat het Wilde Bende-land van ons is. Dat we sterker en beter en groter zijn dan zij allemaal bij elkaar. En dat we ze in elkaar slaan als ze niet doen wat wij willen!'

De stilte die daarna viel was heel erg. Mijn vrienden staarden me aan. Hun monden vielen open van schrik. Ze zagen eruit als passagiers die aan het dromen zijn dat hun vliegtuig neerstort. Alleen Leon liep doelloos rond. Hij balde

zijn vuisten. Heel langzaam, in slow motion, balde hij ze. Maar hij kon niets doen. Hij was hulpeloos geworden. Hulpeloos van schrik en angst. Hij kon de ramp niet meer tegenhouden. Die was allang gebeurd. De Vuurvreters waren gekomen en ze hadden ons, de Wilde Voetbalbende, tot een uitstervend ras verklaard.

'Waarom heb je dat gedaan?' Wanhopig keek Leon naar boven, waar ik stond. 'Waarom? Alleen maar omdat ze je knuffel hadden meegenomen?'

'Nee. Die knuffel heeft er niets mee te maken!' Ik drukte mijn Wilde Bende-pop tegen mijn borst, alsof ik hem wilde beschermen. 'Nee! Het was nog veel erger. Ze hebben gezegd dat we een kleuterschoolbende zijn!'

'Nou én? Wat vind je daar zo erg aan?' counterde Leon. 'Ze mogen van ons vinden wat ze willen!'

'Ja, Leon heeft gelijk!' riep Raban. 'Dan laten ze ons tenminste met rust.'

'O ja? Geloof je hetzelf!' flapte ik eruit. Ik was woedend. 'Ik wil niet meer terug naar de kleuterschool. Snap je dat dan niet? Ik wil groot en sterk zijn! En ik wil trots zijn op wat ik doe als lid van de Wilde Bende. Luister! Als ik, uit angst, alleen nog maar in het geheim trots kan zijn, dan wil ik niet meer bij de Wilde Voetbalbende horen. Wát zeg ik? Kletskoek met slagroom! Dan bestáát de Wilde Voetbalbende niet meer voor mij. Dan zit ik hier fout. Dan ga ik naar Wilson Gonzales en Sexy James en word ik een Vuurvreter. Want die zijn niet bang.'

'Sidderende kikkerdril!' zei Fabi met een zucht. Ik hoorde bewondering in zijn stem.

Ook Marlon begreep wat ik bedoelde. 'Krabbenklauw en kippenkak!'

Maar dat maakte de anderen alleen maar nog zenuwachtiger. Ze drentelden wat rond. Eigenlijk wilden ze het liefst naar huis.

'Het feest is afgelopen!' Leon zei het bijna opgelucht. 'Josje, sorry, maar je griezelnacht was een beetje te echt.'

'Ja, dat zie ik. Staraja Riba is echt gekomen,' spotte ik. 'En ze heeft ons allemaal betrapt!'

Leon keek me boos aan. Hij wilde iets zeggen. Maar hij wist niets te verzinnen. Hij kon weinig anders doen dan weggaan. Dat wist hij. Daarom draaide hij zich om en ging.

'Lafaard!' riep ik hem achterna. Maar ik kon hem niet tegenhouden. Hij rende de tuin uit en de een na de ander ging achter hem aan. Als geslagen honden duwden ze hun fietsen met de doorgeprikte banden naar huis.

'Jullie zijn allemaal even laf!' schreeuwde ik. 'Shit! Ik wil me er niet voor schamen dat ik bij de Wilde Bende hoor!' Ik

68

trok de doek van mijn hoofd en plukte aan mijn haar. 'Leon! Vanessa! Felix, Rocco! We zijn toch Stadskampioen geworden!'

Maar mijn geschreeuw had geen zin. Alle schele schollen! Mijn vrienden gleden als zandkorrels tussen mijn vingers door.

Alleen Marlon en Fabi bleven. Even had ik hoop.

'Sidderende kikkerdril!' vloekte Fabi. Hij balde zijn vuisten. 'Josje, ik begrijp wat je bedoelt.' Hij sloeg woedend tegen de stam van de boom. 'Maar het slaat nergens op! Jij kunt niet tegen de Vuurvreters op! Niemand kan dat.'

'O nee? Hoezo niet?' protesteerde ik. 'Omdat ze een bloedhekel aan voetbal hebben? Omdat ze meisjes zoenen? Omdat ze denken dat sexy cooler is dan wild? Gadver! Dat geloof ik niet.'

'Dat móét je geloven,' antwoordde Marlon ernstig. 'En de enige kans die we hebben, is dat ze ons niet zien. Dat we voor hen onzichtbaar zijn.'

'Onzichtbaar?' riep ik minachtend. 'Ik geloof dat je net even iets gemist hebt, Marlon. De vampier was hier! Hij is dus de Nevelburcht al uit.'

'Weet ik,' mompelde Marlon, alsof dat het einde van de wereld betekende. 'Kom, Fabi. We gaan!'

Ik keek hen na. 'En hoe zit het nu met de wedstrijd? Hoe willen jullie voetballen als jullie onzichtbaar zijn?' Ik deed nog een laatste poging. 'Marlon! Fabi! Morgen beginen de returnwedstrijden voor het kampioenschap van de achtste dimensie!'

Maar ik kreeg geen antwoord. Het tuinhek viel in het slot en op hetzelfde moment dacht ik: de Wilde Voetbalbende bestaat niet meer en zal ook nooit meer bestaan. Ik dacht aan de schorpioen en de kikker. Mijn moeder vertelt me dat verhaal steeds. Altijd als ik me zo voel als nu. Als ik me zo voel als vandaag of drie dagen geleden. Dan vertelt ze het verhaal.

De schorpioen kwam naar de rivier en vroeg de kikker of hij hem naar de overkant wilde dragen. Maar de kikker deed dat niet. 'Jij bent een schorpioen,' zei hij. 'En ik ben niet gek! Jij zult me steken. Dan sterf ik.'

'Dat kun je niet menen,' lachte de schorpioen. 'Ik moet heel dringend naar de overkant. En als ik jou steek, red ik dat niet. Ik kan niet zwemmen.' Dat begreep de kikker. Hij nam de schorpioen op zijn rug en zwom met hem naar de overkant. Maar halverwege de rivier stak de schorpioen hem.

'Au! Au! Waarom doe je dat?' vroeg de kikker. 'Nu ga ik dood en jij verdrinkt.' Maar dat maakte de schorpioen niets uit. Hij haalde zijn schouders op.

'Weet ik,' antwoordde hij. 'Maar ik kan niet anders. Ik ben een schorpioen.'

Precies. Daar had mijn moeder gelijk in. Ik ben en blijf een schorpioen en daarom had ik gestoken. Maar vandaag niet. Nee, drie dagen geleden al. In de Nevelburcht toen ik Wilson 'Gonzo' Gonzales luid en duidelijk de oorlog verklaarde. En weet je wat? Ik had helemaal niet het gevoel dat ik zou verdrinken, zoals de schorpioen uit het verhaal. Ik voelde me licht en heel sterk en ik kreeg vleugels. In de hal van Camelot rolde ik me in mijn slaapzak. Ik was het enige lid van de Wilde Bende dat er nog was. Zelfs mijn broer, de beroemde Joeri 'Huckleberry' Fort Knox, lag braaf en laf te slapen. Ik moest erom lachen. Onzichtbaar wild lag hij in zijn kinderbedje van vroeger onder het bont gespikkelde dekbed. Maar... dat gaf mij juist kracht. Sentimentele huilebalk, mijn broer. Ik was gelukkig niet alleen. Ik was alleen de laatste der Mohikanen.

# Wild rotweer om te voetballen

De volgende morgen sloeg de regen tegen de wanden van de boomhut. De wind loeide door de spleten en kieren. De onweerswolken hingen zo laag dat het leek of ze Camelot zouden verpletteren. De zon kwam niet meer aan bod. De nacht ging alleen maar over van zwart naar grijs – donkergrijs. En in het hele land van de Wilde Bende werden de mensen knorrig wakker. Ze waren bang voor de dag. Of was het angst voor de nacht die niet meer wilde eindigen? Ze hadden allemaal vreselijk gedroomd. Van vliegende katten misschien, en van een reusachtige spin met een afschuwelijke, lange slurf.

Ik kroop uit mijn slaapzak en sprong op. Ik was klaarwakker. Dit was de dag van onze eerste wedstrijd. De returnwedstrijden waren begonnen en dit weer paste daar prima bij. Het was het allerbeste rotweer om te voetballen. Ik klom uit de boomhut en rende ons huis in. Ik maakte mijn slapende broer wakker en trok het dekbed van zijn bed.

'Hé, wat doe je nou? Ben je gek geworden?' schreeuwde hij.

'Nee. Je hebt alleen maar veel te lang geslapen. Hier!' Ik gooide een scheenbeschermer naar zijn hoofd.

'Au! Hou op, idioot!' schold mijn broer. 'Die krijg je terug!'

'Natuurlijk!' zei ik spottend. 'En hoe wil je dat doen als je de hele dag blijft snurken? Vang!'

Ik slingerde zijn voetbalschoenen naar hem toe. Allebei tegelijk. Ze raakten hem op zijn neus en kin.

'Au! Au!' schreeuwde mijn broer. Hij sprong uit bed.

Hij pakte me onder mijn armen beet en gaf me een harde duw. Ik viel met een klap op de grond en één seconde later zat hij op mijn borst.

'En wat nu?' fluisterde Joeri. Hij stak zijn vuisten op om naar me uit te halen.

'Nu ben je wakker!' riep ik met een grijns. 'Nu kunnen we spelen. Ik heb het over voetbal! En over het kampioenschap! Je weet toch zeker nog wel wat dat is?' Ik fronste mijn wenkbrauwen.

'Zit je me voor de gek te houden?' dreigde Joeri.

'Nee. Natuurlijk niet! Dat zou ik toch nooit durven,' pestte ik. 'Ik dacht alleen: de afgelopen nacht zat iedereen 'm behoorlijk te knijpen, watje. Au!'

Joeri's vuist klapte tegen mijn bovenarm.

'Ik ben niet bang. Oké? Of moet ik het je nog een keer uitleggen?'

'Ik weet het niet. Ik weet het niet zeker,' grijnsde ik. 'AU! AU!'

Joeri sloeg weer hard.

'Genoeg gehad, domme kippenkop? Vandaag moeten we tegen de NAC Junioren. Dacht je echt dat ik dat kon vergeten?'

'Nee,' lachte ik. 'Dat dacht ik helemaal niet. Zoiets vergeet niemand.'

'Natuurlijk niet!'

Mijn gelach stak hem aan. Hem en de anderen van de Wilde Bende die we na een lekker zaterdagochtend-onweer-ontbijt tegenkwamen op weg naar de Duivelspot. De banden van onze fietsen waren gerepareerd. De wind stuwde ons voort. De regen kletterde op ons neer en we gingen alleen maar harder lachen. We vertelden elkaar steeds hetzelfde.

We konden er niet genoeg van krijgen hoe Raban de held afgelopen najaar bijna tegen de schutting van ons veldje was gevlogen. Ongelovig had hij naar het bord gestaard dat Willie daar had opgehangen. Sinds die dag heette ons veld officieel 'de Duivelspot'. De grootste heksenketel aller heksenketels. Het stadion van de Wilde Voetbalbende V.W. Sinds die dag speelden we in de achtste dimensie. Het is eigenlijk de achtste divisie, maar ik zeg het altijd verkeerd. Intussen zegt iedereen het verkeerd! We streden om Camelot. We stopten de Onoverwinnelijke Winnaars in vuilnisbakken en hondenhokken. En we smeerden Dikke Michiel vol honing en strooiden veren over hem heen. Toen vertelde Joeri voor de honderdduizendste keer hoe hij de wedstrijd tegen de NAC Junioren, onze eerste wedstrijd in ons eigen stadion, bijna verloor. Tot papa kwam. Die hadden we tot die dag nog nooit ontmoet. Omdat papa er was, werd Joeri opeens echt goed. Nee, fantastisch!

Het waren de laatste seconden van de wedstrijd. Na een 4-0 achterstand was het nu gelijkspel. Dat leek een beetje op een overwinning. Maar de wedstrijd was nog niet afgelopen. De tegenstanders, die een jaar ouder waren dan wij, vielen voor de laatste keer aan. Marc hield de ene bal na de andere. Maar de laatste keer dat hij de bal wegstompte, belandde die helaas recht voor de voeten van een van de Naccers. Die schoot als een stoomhamer op het doel, genadeloos hard. Marc lag verslagen op de grond. De bal vloog naar het lege doel. Dit moest het overwinningsschot zijn. De mannen van NAC staken hun armen in de lucht. Ze begonnen al te juichen. Toen zette Joeri het op een lopen. Hij sprintte naar de bal, gooide zijn benen naar voren, vloog bijna horizontaal door de lucht en knalde de bal in de allerlaatste seconde uit het doel. De bal vloog omhoog, de donkere avondhemel in. Hij raakte de schijnwerpers. De lampen ontploften. Wij vielen juichend over Joeri heen, terwijl een hele sterrenregen naar beneden kwam. Gillende krokodillen! Dat was pas een dag. 's Avonds waren we de gelukkigste kinderen van de wereld.

Toen we bij de Duivelspot kwamen, leek zelfs Willie aan die wedstrijd te denken. Hij stond op het veld en keek naar de schijnwerpers. De regen spetterde in zijn gezicht. Maar dat stoorde hem niet. Voor hem waren het vast de vonken van de sterrenregen!

'Alles is cool!' zeiden wij tegen de beste trainer van de wereld. Willie had onder zijn rode honkbalpet en regenjack een streepjespak aan en laarzen van echt slangenleer.

'Alles is cool!' moesten we herhalen. Pas toen merkte Willie ons op.

'Zolang je maar wild bent!' glimlachte hij. Maar hij bleef bezig met zijn eigen gedachten. Hij liep naar zijn brommer. Hij bond de koffer met onze shirts, de enige echte gitzwarte shirts van de Wilde Voetbalbende, onder zijn snelbinders en wilde al opstappen. Toen aarzelde hij. Hij draaide zich om en bekeek ons. Hij keek ons allemaal om beurten diep in onze ogen. Toen draaide hij de klep van zijn pet naar achteren en krabde op zijn voorhoofd.

'Goed. Dit is goed. Zo zien winnaars eruit, zei mijn oma altijd!' Hij grijnsde naar ons. 'Hup! Waar wachten jullie nog op? De Stadskampioen Zaalvoetbal is vandaag absoluut de grote favoriet.'

'Zeker weten!' riepen Fabi en Marlon.

'Ja! Krabbenklauwen en kippenkak!'

'Dampende duivelsdrollen!'

'Stinkende apenscheten!'

Leon stak zijn armen in de lucht. 'Alles is cool!' riep hij. Hij keek ons aan.

'Zolang je maar wild bent!' antwoordden wij met zijn allen.

'Eén, twéé, dríé!' telde Leon. En toen schreeuwden wij onze strijdkreet, ons oorverdovende 'RRRAAAA!!!'

De zwarte formatie stormde weg. Met Willie aan kop raceten we de Duivelspot uit. We suisden door de straten! En overal, op muren en op stoeptegel lazen we de tekens van onze macht. 'Wees wild. Nog véél wilder! Wees gevaarlijk en wild!' De graffiti vuurde ons aan als een oorverdovend applaus. De hele stad was één groot stadion. En niemand dacht nu nog aan wat Wilson 'Gonzo' Gonzales de afgelopen nacht van ons geëist had.

# Bloot

De wedstrijd tegen de Nac Junioren werd op de trainingsvelden van Ajax gespeeld. Wij werden koel ontvangen. Er werd niet veel gezegd. De spelers en hun ouders bekeken ons met open vijandigheid. We waren een jaar jonger dan zij en toch hadden we de wedstrijd in de heenronde tegen hen niet verloren. Nee, we hadden zelfs gewonnen. En voor die klap moest de tegenstander zich vandaag wreken.

Zonder een woord te zeggen gaf de trainer ons de sleutel van het kleedhok. Dat was in de kelder, helemaal achter in de gang. Het was er blijkbaar al een tijdje niet gelucht. De kleedkamer stonk als een overvolle bus in hoogzomer.

'B-b-bah, Wi-hi-hillie!' riep Deniz de locomotief. Hij sprong naar het raam om het open te gooien. Maar de handgreep ontbrak. 'Wa-hat een sme-herig hok!' riep de Turk met zijn rode hanenkam. 'Hier ga ik me niet omkleden. Echt niet!'

Deniz sprak uit wat we allemaal dachten. De stank was verschrikkelijk en de vloer tussen de banken lag bezaaid met kluiten gras en modder afkomstig van de noppenschoenen van zo'n zesendertig elftallen. We dromden samen voor de uitgang, maar daar stond de trainer van NAC. Groot, machtig en dreigend versperde hij ons de weg.

'Het spijt me, maar de andere kleedkamers zijn al bezet!' zei hij met een stem als een metaalpers op een autokerkhof.

'En jullie moeten opschieten. Ons veld moet over een uur weer vrij zijn. Daarom krijgen jullie nog precies vijf minuten. Dan beginnen we.'

Dat klonk niet echt aardig. Maar als iemand een stem heeft die klinkt als een metaalpers, dan hou je je liever rustig.

De trainer van Nac grijnsde tevreden. 'Vijf minuten!' herhaalde hij.

Toen sloeg hij de deur achter zich dicht.

'Santa Panter in de roofdierenhemel!' siste Rocco de tovenaar. Jojo die met de zon danst riep de trainer achterna: 'Wedden dat jullie vandaag verliezen?'

'Kom op met die shirts, Willie!' riep Leon, de aanvoerder. 'Ik heb opeens zo'n verschrikkelijke zin in een partijtje voetbal!' Hij trok vlug zijn kleren uit.

'Nou, anders ik wel!' lachte Fabi de snelste rechtsbuiten ter wereld. Ook hij trok zijn kleren uit, en Raban de held sprong al in zijn onderbroek rond voor de koffer met shirts.

'Hé Willie, wil je alsjeblieft opschieten! De Nac Junioren hebben net een kaartje naar de hel geko...'

Dat laatste woord kwam zijn mond niet meer uit. Raban verstarde en Willies gezicht werd een masker van steen.

'Alle gillende krokodillen!' fluisterde Raban schor. Hij begon zijn bril schoon te poetsen. Hij wilde en kon zijn ogen niet geloven. 'D-d-da... daar!' stamelde hij en hij wees in de koffer.

We keken elkaar aan. We begrepen er niets van. Maar ook Willie verroerde zich niet. Hij krabde nog een keer op zijn voorhoofd. Er moest iets mis zijn, grondig mis. Met ingehouden adem keken we in de koffer. Het was een blik in ons eigen graf. Dit was afschuwelijk! De koffer was leeg...

Onze shirts waren gestolen! Er lag alleen maar een briefje op de metaalkleurige bodem van de koffer. Op het briefje stond: *Hallo kleuters, Wilson was hier en ik waarschuw jullie nog één keer: hij is overal!*

Vanaf dat moment bestond de stank in onze kleedkamer niet meer. Hij werd opgeslurpt door de stilte. De stilte die ontstaat als de wereld stil blijft staan. Als je machteloos bent en niets kunt doen, absoluut niets, hoewel alles om je heen instort. Als je helemaal niet meer kunt begrijpen wat er allemaal gebeurt. Of kun jij het me misschien uitleggen? Hoe kon Wilson Gonzales bij de koffer met de shirts komen? De koffer werd door Willie bewaard, in zijn caravan op de geheime plek onder zijn bed. Daar kon niemand bij. Niemand. Ook de bleke vampier niet. Het is net zoiets als wanneer je klaarwakker bent en hij – zonder dat je het merkt – de nagels van je tenen lakt, terwijl je sneeuwlaarzen aanhebt. Zo voelden we ons ongeveer.

De stilte werd verscheurd. Een vuist donderde tegen de deur en de stem als een metaalpers sloeg ons als een natte spons in het gezicht.

'Over twee minuten beginnen we!'

'Kokende kippenkak!' vloekte Leon. 'Willie! Wat nu?'

Willies gezicht was nog steeds een versteend masker. Hij hoorde ons, maar hij keek dwars door ons heen. Hij zag iets anders. Iets duisters en slechts.

'Willie, wakker worden!' riep Marlon. Hij schudde zachtjes aan Willies schouder. 'Wat moeten we doen?'

'Wat? Wat zeg je? Wat?' stotterde Willie. Pas toen drong de vraag tot hem door. 'Jullie... jullie... jullie spelen natuurlijk zó, zoals jullie zijn.'

'Wat bedoel je daarmee?' blies Leon.

Hij keek in de kleedkamer om zich heen. 'We zijn bloot, Willie. Op onze onderbroek en scheenbeschermers na staan we in ons blootje!'

'Precies,' zei Willie. 'Dat zie ik ook. Jullie hebben alleen nog schoenen nodig. Hup, waar wachten jullie nog op?'

'Dat meen je niet!' riep Leon.

'Dat meen ik wel,' zei Willie en deze keer keek hij Leon recht in zijn ogen. 'De twee minuten zijn namelijk zo om.'

'Maar zó speel ik niet!' sputterde Leon.

'En ik ook niet!' Fabi ging naast zijn beste vriend staan. Hun schouders raakten elkaar.

'Bij alle Tu-hurkse tapij-hijten! Willie! Ik ben echt niet ge-hek!' zei Deniz.

'Goed. Dan verliezen jullie maar,' counterde Willie. 'Als jullie niet spelen als de Wilde Bende, heeft het andere elftal de wedstrijd automatisch met 3-0 gewonnen. Willen jullie dat? Of trekken jullie nu eindelijk je schoenen aan?'

# Zwarte kruizen

De NAC Junioren en hun ouders keken naar ons alsof we zo uit een winkel voor kinderondergoed kwamen. Hun trainer liet zijn fluitje uit zijn mond vallen. De vervroegde aftrap moest ervoor zorgen dat we geen warming-up meer konden doen. Maar dat we daardoor zo zenuwachtig waren geworden dat we vergaten onze voetbalkleren aan te trekken, was echt te mooi voor woorden. Voor de trainer van de NAC Junioren in elk geval.

En daarom gebeurde er wat er gebeuren moest: de Naccers barstten in schaterlachen uit. Ze lagen dubbel en rolden over het gras. Een paar jongens deden het in hun broek van het lachen. Ze lachten om de raarste en belachelijkste manier waarop ooit een elftal het veld op gekomen was. Ze lachten om het scheenbeschermers/onderbroekenelftal. De trainer lachte mee. Het klonk als een paar verroeste tandwielen. En toen stonden we alleen nog maar in de regen. Het stormde, bliksemde en donderde om ons heen en zo speelde de tegenstander ook. Het elftal stormde en wervelde tussen ons door. En er werd door de NAC junioren van alles geroepen.

'Hé, wat een gek broekje!'

'Sexy, zeg. Echt wel!'

'Nieuw uniform?'

'Ik dacht dat jullie jezelf de Wilde Voetbalbende noemden? Of hebben we het misschien verkeerd gehoord? Heten jullie soms "de Wilde Luiers"?'

Zo ging het nog even door. Elke vraag trof ons midden in het hart. En hoe we ook ons best deden, onze wilde ziel werd steeds zwakker. Hij liep als snot en water uit ons gezicht en de enige vriend die bij ons bleef, was de regen. Hij verstopte onze tranen voor de boze blikken van de wereld.

Maar dat hielp niet veel. Al na zeven minuten begon onze ondergang. Met een geweldig afstandsschot, recht in de hoek. Zelfs Marc stond machteloos. Het doelpunt van de tegenstander velde ons als een bijl. We waren verlamd en hulpeloos. Maar we wilden brullen van woede toen we vóór de volgende aftrap naar de heuvel keken die achter de omheining van het voetbalveld lag...

Daar staken drie gestalten donker af tegen de grauwe onweerswolken: het waren Peter, Sexy James en Wilson Gonzales. Ze waren bezig een kruis op te richten. Het was gemaakt van planken en tuinstokken en stak drie meter hoog de lucht in. En in de top wapperde een inktzwart shirt van de Wilde Bende in de wind.

De aftrap ging toen natuurlijk helemaal mis. We waren alleen nog maar toeschouwers bij de wedstrijd. Het liefst waren we weggekropen onder het gras. Zelfs Willie wist niets meer te zeggen. Toen eindelijk het fluitje voor de rust klonk, wapperden op de heuvel zeven zwarte 'vlaggen' aan zeven hoge kruizen in de wind.

Het was grauw en ellendig. Het stond 7-0 voor de NAC Junioren. Wat een ramp! En we wilden nog wel kampioen worden. Wij, Stadskampioen Zaalvoetbal van Amsterdam, waren vandaag de absolute favoriet...

# Onzichtbaar wild

In de kleedkamer druppelde het water van onze lijven op de grond en vermengde zich daar met kluiten gras en klei tot een vieze modder. De stank hing nu als een dichte mist in de ruimte. Wij waren op de banken gaan zitten.

Stom. Stom. Niemand kon ons zien of horen. Alleen Willie liep heen en weer en wrong het water uit zijn honkbalpet.

'Wat een puinhoop!' zei hij steeds weer wanhopig. 'Wat een verschrikkelijke puinhoop!'

Maar Willie kon ons deze keer niet helpen. Deze wedstrijd hadden we niet van NAC verloren. We hadden verloren van Wilson Gonzales. Hij had ons daar geraakt, waar we het kwetsbaarst waren. Hij had onze geheime zwakte geraakt. Want diep, diep in ons hart voelden we ons allemaal nog klein. We waren allemaal nog kinderen en daarom waren we bang. Een verborgen angst was het, die ons blind maakte. We zagen elkaar niet meer zoals we waren. We zagen elkaar niet meer als gevaarlijk en wild. Nee. We zagen elkaar nu door de ogen van Wilson 'Gonzo' Gonzales, met onbarmhartige, ijzige spot. En daarom schaamden we ons. We voelden ons verschrikkelijk zwak, als een volledig ingemaakt kleuterelftal in kletsnatte onderbroeken.

'Alle gillende krokodillen!' riep ik ineens. Ik sprong op van de bank. 'Snappen jullie het niet? We hoeven ons helemaal niet te schamen. Ze nemen ons serieus!'

De anderen keken me aan alsof ik plotseling mijn verstand had verloren.

'Hou jij je mond maar,' zei Joeri. 'Het is allemaal jouw schuld!'

'Bij Santa Panter in de roofdierenhemel!' vloekte Rocco. 'Joeri heeft gelijk. En daarom haat ik je!' Hij sprong ook op en stortte zich op mij. Zijn vuist vloog naar mijn kin. 'Josje! Ik haat je!' schreeuwde hij nog eens.

Hij gleed uit in de modder en viel op zijn kont.

'Je méént het,' spotte ik.

'Daar zul je voor boeten, slijmbal!' siste Rocco. Hij keek me woedend aan. Hij stond weer op. Dat wilde hij tenminste. Hij steunde op handen en voeten en duwde zich van de modderige vloer omhoog.

*Nu ga ik eraan!* dacht ik alleen maar.

Zijn benen verdraaiden zich als de poten van een koe op kunstschaatsen. Van pootje-over tot de spagaat. En hij viel languit – roetsj, prátsj! – in de modder.

'Ben je nu klaar?' vroeg ik en ik voelde zijn woede. Het was een goede, krachtige woede. Hij smaakte als kippenbouillon als je griep hebt in de winter. Met die woede keek ik, de kleinste van allemaal, op de Wilde Bende neer.

'Mag ik nu ook eens wat zeggen?' siste ik als een hongerige beer. 'Waarom denken jullie eigenlijk dat die vampier onze shirts heeft gejat? Hé! Valt het kwartje? Hebben jullie het eindelijk dóór? Of hebben jullie met je lef ook je verstand eruit gehuild?'

'Ik wa-haarschuw je, Jo-hosje!' dreigde Deniz. 'Nog één ver-he-keerd woord!'

Maar ik deed of ik hem niet hoorde.

'Jammer. Dan moet ik het jullie wel verklappen. Wilson "Gonzo" Gonzales heeft onze shirts gepikt omdat wij geen kleuterelftal zijn. Nee, hij neemt ons serieus. Hij is zelfs bang voor ons. Sinds de dag in de Nevelburcht toen ik hem de oorlog heb verklaard. Sinds toen is hij bang voor ons. En dat met de shirts is maar een goedkope truc. Hij probeert ons bang te maken. En jullie, shit, jullie trappen er nog in ook! Nou já! En weet je waarom? Omdat jullie schijtlijsters zijn. Merken jullie dat niet? Jullie zijn alleen nog maar onzichtbaar wild. Onzichtbaar, ja! Het lijkt wel of jullie in onzichtbaarheidsmantels rondlopen. En jullie doen het nog in je broek van de zenuwen ook!'

'Ik he-heb je gewa-haarschuwd!' Deniz sprong op. Hij probeerde hetzelfde te doen als Rocco. Hij stak zijn vuist onder mijn kin. Maar net als Rocco ging hij onderuit op de modderige vloer.

'Zie je wel! Dat heb ik toch gezegd! Jullie willen het niet horen! Maar ik heb gelijk. Waarom hebben jullie je shirt nodig om vandaag te winnen? Is alleen maar dat zwarte shirtje wild? Of zijn jullie het zelf? Ik bedoel hier boven in je hoofd en diep in je binnenste, in je hart?'

Nu luisterden ze opeens en eindelijk snapten ze wat ik zei.

'Goed. Dat werd ook wel tijd, zeg! Pfff. De rust is al bijna voorbij! Kom op, Marlon, haal je zwarte viltstift even. Die voor de wilde tattoos. Ja, en Vanessa, jij kunt ons toch wel een beetje schminken?'

'Ben je niet goed bij je hoofd?' riep de onverschrokkene. Ik lachte naar haar.

'Hé, doe niet zo flauw. Ik heb het niet over lippenstift. Ik bedoel de modder. Hup! Begin nou eens een keer!'

Ik keek naar Rocco en Deniz. De modder zat in hun haar en plakte op hun gezicht. Ze zagen er verschrikkelijk uit.

'Ja, dat bedoel ik!' riep ik enthousiast. 'Zo laten we ons zien. Precies zoals we zijn!'

# Fan-tas-tische voodookracht

De NAC Junioren en hun ouders keken naar ons alsof we een vijandig leger waren. Maar niet uit een winkel voor kinder-ondergoed, deze keer. We kwamen van waar ze ons voor de rust heen gestuurd hadden: uit de negenennegentigste hel. De trainer liet zijn scheidsrechtersfluitje vallen.

'Wat is dit in hemelsnaam?' piepte hij als een cavia met de baard in de keel. Hij deed een paar stappen terug.

Schouder aan schouder kwamen we het veld op. Modder kleefde in onze haren en op onze gezichten. Met modder had-

den we de oorlogskleuren op onze armen en benen geschilderd. Op onze rug stonden onze nummers en namen. Die had Marlon met zijn dikke zwarte stift op onze huid getatoeëerd. En het logo van de Wilde Bende stond op onze borst. De piratenkop boven gekruiste botten. We vormden een muur. Ik deed een stap naar voren en draaide me om.

'Alles is cool!' riep ik.

Ik ging recht door het midden van de muur. Tussen Leon, Vanessa, Marlon en Fabi door.

'Zolang je maar wild bent!' antwoordden de anderen.

Hun stemmen klonken donker en koud.

'Wees wild!' zei ik. Ik kwam terug door de muur. De anderen herhaalden zachtjes: 'Ja! Gevaarlijk en wild!'

We sloegen de armen om elkaars schouders en vormden een kring. 'Een! Twee! Drie!' telde ik en toen brulden we allemaal samen een gigantisch, oorverdovend 'RRAAAA!!'

De Naccers krompen ineen. Hun spot uit de eerste helft was pure angst geweest. En zo verging het Wilson Gonzales ook. De bleke vampier zat op zijn skateboard. Hij rolde soepel naar voren en weer naar achteren. Hij dacht dat hij de overwinning al in zijn zak had. Maar nu sprong hij op. Naast Peter en Sexy James stond hij tussen de kruizen met de shirts eraan. Vanaf de heuvel keek hij op ons neer.

De rest was kinderspel. Marlons pass was een nachtmerrie voor de tegenstander. De bal landde recht op Rocco's tovenaarsvoet. Hij plakte aan zijn wreef. Rocco tilde hem over de verdediger heen in Leons torpedoduikvlucht-kopbalbaan. De scorer schoot als een raket haarscherp over de grond en ramde de bal in het doel. Het tweede doelpunt was een Drievoudig M.S. GTI Wild van Max 'Punter' van Maurik. Vanaf 25 meter donderde hij zijn Mega-Machtig-Monster-Schot op het doel van NAC. Mét de bal vloog ook de keeper in het net.

Jojo danste deze keer niet met de zon, maar in de regen. Als een geest uit de fles sprong hij tussen de tegenstanders door en schoot lachend en genadeloos. Fabi's hasta-la-vista-Turbostoomhamer-volley vanuit de scherpste en onmogelijkste hoek vanaf de doellijn was nummer vier. Het vijfde doelpunt werd door Leon gemaakt. Felix schoot vanaf de linkerzijlijn. Leon maakte vaart. Hij sprong op, richting onweerswolken zo hoog. Binnen twee seconden had hij de situatie bekeken. Hij kwam neer en schoot met zijn rechtervoet. De bal verdween met een salto-mortale-omhaal van wereldklasse in de rechterbovenhoek. Het zesde en zevende doelpunt maakte Deniz alleen. De locomotief stoomde voor Fabi op rechts. Steeds langs de buitenlijn. Maar vlak voor het strafschopgebied ging hij naar links. Hij wist de tegenstander te ontwijken, speelde om de keeper heen en droeg de bal met zijn voeten in het net. Het was 7-7. Het was ons al bijna gelukt. Toen keek Willie op zijn horloge.

'Alle duivels!' riep hij en hij begon driftig te gebaren. 'Opschieten, jongens! Over dertig seconden is het afgelopen!'

Maar de NAC Junioren dachten anders over. Een gelijkspel was voor hen nu een overwinning. Daarom namen ze ruim de tijd.

'Hé! Wat moet dat! Dat is niet eerlijk!' protesteerde Willie. Maar hun trainer lachte hem uit.

Toen pakte Leon de bal. Hij haalde hem zelf uit de goal van de NAC Junioren. Hij rende als een rugbyspeler tussen de tegenstanders door en drukte de bal hard en vastbesloten op de middenstip.

'Zo! En nu wordt er verder gespeeld!' riep hij tegen de centrumspits van NAC.

Die was zo stomverbaasd dat hij gehoorzaamde. Terwijl de scheidsrechter zijn fluitje al naar zijn mond bracht voor het eindsignaal, pakte Leon de bal van de centrumspits en schoot hem met een bliksemsnelle pass naar Marlon terug. Die deed wat alleen de nummer 10 kan: hij liet de bal vliegen op de wind. De bal maakte een eindeloze heksenbezem-vluchtboog en verdween boven de verbaasde keeper in het doel.

Toen klonk het eindsignaal. Wat een fan-tas-tische voo-dookracht was dit! We hadden gewonnen. Het kampioen-schap zat er nog steeds in. We staken onze vuisten omhoog. We omhelsden elkaar. We gingen naast elkaar staan en gooi-den onze armen weer hoog in de lucht.

En toen schreeuwde ik naar Gonzo op de heuvel: 'Hé, Wilson! Wilson Gonzales! Zag je dat? We hebben gewonnen. We zijn niet bang voor jou!'

Maar op de heuvel stonden alleen nog maar de kruizen met onze shirtjes, die wapperden in de wind. De bleke vam-pier en zijn Vuurvreters waren verdwenen.

# Camelot valt

'Kom op! We halen onze shirtjes terug!' riep Leon.

'Ja! Sidderende kikkerdril!' juichte Fabi.

Toen zetten we het op een lopen. Zoals we waren, met beenbeschermers-onderbroeken-modder-voodookracht en al, stormden we langs de spelers, de ouders en de trainer van NAC. We renden het stadion uit en de heuvel op. En pas daar dachten we voor het eerst aan een val. Ademloos bleven we staan. We keken om ons heen. Maar we konden niets verdachts ontdekken. De zeven kruizen stonden met hun shirtjes-vlaggen in de wind. En daartussen lagen nog zes shirts op de grond.

'Kokende kippenkak!' fluisterde Joeri 'Huckleberry' Fort Knox. 'Die sukkels dachten echt dat we zo verschrikkelijk zouden verliezen!'

'13-0! Ik lach me dood!' Raban was boos. '13-0 tegen de Stadskampioen Zaalvoetbal van Amsterdam!'

'Tja, dan hadden we ook na de rust nog moeten spelen alsof we ónder het gras gekropen waren,' grijnsde Marlon. Hij glimlachte vrolijk naar mij. 'Dan hadden ze het misschien gered!'

Hij sloeg een arm om mijn schouder en ik was zo trots als de held van de Almachtige Pink. De man die de koning van de Rosanen, zijn paleis en de hele wereld beschermde tegen de heks, Staraja Riba. Ik was zo trots als Chradadadatsch, de rechterhand van de koning van de Rosanen. Hij is de kleine ridderclown en profvoetballer. Hij woont zonder angst en helemaal alleen in zijn vliegenzwam in het toverbos, aan de grens van de nacht.

'Alle brakende beren!' lachte ik. Ik kreeg als eerste lid van de Wilde Voetbalbende mijn shirt terug.

Leon had het hoogstpersoonlijk voor me van een van de tuinstokken geplukt.

'Het was de eerste die ze hebben neergezet!' glimlachte hij. 'Het lijkt erop dat jij hun hoofdvijand was.'

Ik werd vuurrood, maar Leon stak zijn hand op voor een high five.

'Alles is cool!' zei hij.

'Zolang je maar wild bent!' antwoordde ik.

'En zolang we dat allemaal maar goed onthouden!' voegde Leon eraan toe.

Toen klapten onze handen tegen elkaar. Maar alsof dat het teken was geweest, begon de muziek van de Vuurvreters weer te stampen. We krompen in elkaar. Ons hart leek stil te staan. Het enige wat nu nog bonkte en stampte was de rap van de bleke vampier:

*Ik zeg je, ja, ik zeg je:*
*Ik kan het niet laten.*
*De helft van de wereld*
*zal mij daarom haten.*
*Maar ik verklaar de oorlog*
*aan de Wilde Bende.*
*Ik ga voor de overwinning*
*Anders wordt het ellende.*
*Want de stad is te klein,*
*veel te klein voor ons tweeën!*

*Daarom zal Camelot vallen*
*met al zijn torens en hallen!*
*Oha-ha-ha! Oho-ho-ho!*
*Ja, dat is nu eenmaal zo!*
*Ga gauw kijken wat er nog staat,*
*dan zulje zien: je bent te laat!*

Daarna was het stil.

Max had de gettoblaster van de Vuurvreters uit de struiken getrokken en op STOP gedrukt. Maar dat hielp eigenlijk niet veel. De strijd in de Duivelspot was alleen maar het begin geweest. Niet de allesbeslissende overwinning. En terwijl wij hier blij waren, was Wilson 'Gonzo' Gonzales allang op pad voor de tweede slag.

Alle rollende donderkoppen! Nu snapten we het. Terwijl we allemaal samen braaf op het voetbalveld waren, hadden we maar drie van onze vijanden op de heuvel gezien. Drie van de dertien Vuurvreters. Shit! En de andere tien hadden in deze tijd zeker niet voor de halfpipe gestaan om caspers te oefenen.

'We gaan naar Camelot!' besloot Leon.

We rukten de shirts van de palen en trokken ze al rennend aan. We moesten zo snel mogelijk naar het kleedhok om onze tassen te halen. Maar voor het stadion wachtte Willie op ons. Hij was de beste trainer van de wereld en onze beste vriend. Want hij had al onze spullen en tassen allang op de fietsen gebonden.

'We gaan naar Camelot!' lachte Leon. Hij sprong op het zadel van zijn Special-Motocross-BMX. Het speciale sprint-achterwiel van Fabi dampte en rookte. Felix' Viking-zeil bolde op. En de zeepkist-bakkersfiets van Jojo en Marc ging aan de voorkant omhoog. Zo hard reden we! Als een orkaan raceten we door de stad en na een wereldrecordtijd van slechts 25 minuten vlogen we de Fazantenhof in. Wij, dat wil zeggen twaalf man. Eén voetballer ontbrak. Vanessa had iets anders besloten. Tja, ze was anders dan wij. Zij had een akelig, donker vermoeden en dat ging ze onderzoeken.

De rest van ons racete door de Fazantenhof en reed de oprit van ons huis op. Ik reed aan kop. Ik was Vuurvreter-vijand nummer 1. Dat had Leon gezegd! Ik had de beste remmen van iedereen. Het waren dubbele schijfremmen achter en voor. En ik reed op mijn raket-racefiets tegen een stuk prikkeldraad dat laag over de grond gespannen was.

*Want de stad is te klein, veel te klein voor ons tweeën!* Wilsons rap stormde als een flipperbal door mijn hoofd. In slow motion zag ik hoe de draden zich spanden. Zandzakken vielen en zetten andere lijnen en touwen in beweging die aan Camelots vier steunen rukten. Die steunen waren een stukje ingezaagd...

*Daarom zal Camelot vallen*
*met al zijn torens en hallen!*

De bleke vampier rapte in mijn hoofd en daar zat geen stopknop op. In elk geval kon ik die nu niet vinden.

De steunen van de boomhut knapten als luciferhoutjes. De hal, de onderste verdieping, begaf het en toen stortten de toren en de commandopost op de hal.

*Oha-ha-ha! Oho-ho-ho!*
*Ja, dat is nu eenmaal zo!*
*Ga gauw kijken wat er nog staat,*
*dan zulje zien: je bent te laat!*

We zaten opeens midden in een wolk van stof en splinters. Ik kon helemaal niets meer zien. Maar toch stond ik nu op. Langzaam en zonder adem te halen liep ik door de stofwolk en het puin heen. Het was als een vreselijke droom. Ik kon

het gewoon niet geloven. Het was verschrikkelijk. Ik dacht dat ik stikte.

Toen schreeuwde ik al mijn wanhoop eruit: 'NEE! DIT WILDE IK NIET! Dat moet je geloven!'

Ik keek om naar Willie en mijn vrienden. Ze stonden in het dwarrelende stof als in een onweerswolk. Hun gezichten waren met modder besmeurd. En die gezichten waren al even donker en koud. Hun ogen keken me verwijtend aan. Nee, dit had niemand gewild! Om deze reden hadden we ons al die jaren verstopt voor de Vuurvreters. Ze waren groter en sterker dan wij. Maar ik had Wilson Gonzales uitgedaagd. En daar was het ongeluk mee begonnen. Vanessa stormde de tuin binnen. Ze remde haar fiets op het achterwiel af. De puinresten van Camelot interesseerden haar blijkbaar geen snars.

'Kom! Schiet op! Ga nou eindelijk eens mee!' schreeuwde ze tegen ons. 'Het gaat om de Duivelspot! Leon! Fabi, Marlon! Gonzales heeft onze heksenketel bezet!'

# De slag om de Duivelspot

We scheurden de Fazantenhof weer uit. In de gitzwarte shirts van de Wilde Bende schoten we door de stad. Onze gezichten waren nog steeds met modder besmeurd en ons haar plakte aan elkaar. De banden van onze fietsen joegen over het natte asfalt. Donker en woest, als een onweerswolk, als een horde zwarte voodoo-strijders vlogen we de heuvel voor de Duivelspot op.

Leon stak zijn hand op. 'Stop!' schreeuwde hij en hij ging op zijn remmen staan.

Maar dat hoefde hij helemaal niet te doen. Wat wij zagen, was sterker dan elk bevel. We trokken onze fietsen om. De modder spatte in het rond. Kluiten aarde en gras wervelden om onze hoofden, en toen was het stil.

'Wat een afschuwelijke ramp,' fluisterde ik zo zacht als een zeepbel die knapt in de wind.

Onder ons lag de Duivelspot. De grootste heksenketel aller heksenketels. Maar het was geen stadion meer. Het was een echte vesting geworden. In de vier hoeken van het veld waren torens gebouwd. Een ophaalbrug versperde de ingang en op het dak van Willies stalletje waaiden de vlaggen van de skaters. De vlaggen van Wilson 'Gonzo' Gonzales, de bleke vampier.

Diepblauw als zijn pet en met zilveren gevlamde letters erop. Die letters draaiden zich als een slang in een kring rond

en vormden de naam van de heks. De naam Staraja Riba.

Een schaduw gleed over Leons gezicht. Zijn ogen ver-
nauwden zich tot spleetjes. Zijn handen omklemden de grepen van zijn Special-Motocross-BMX, alsof hij zijn fiets wilde
wurgen. Hij dook in elkaar als een roofdier vlak voor de
sprong. Maar hij aarzelde nog. Iets scheen hem te waarschu-
wen: *Leon, pas op!* fluisterde een stem in zijn hoofd. Bliksem
flitste aan de hemel, en deed de haat in hem opvlammen. En
met de rollende donder die op de bliksems volgde, nam hij
ons mee in de slag om de Duivelspot.

'Alles is cool!' schreeuwde Leon. Hij ging op zijn pedalen
staan.

'Zolang je maar wild bent!' brulden wij en we verjoegen

daarmee onze angst. Een angst die goed was, echt goed was,
terecht was ook. Maar nu was die verdwenen.

We raceten achter Leon aan, de heuvel af, en weken uit
voor de ophaalbrug. Zoals de indianen vroeger een tijdelijke
nederzetting van woonwagens omsingelden, zo reden wij
om de houten schutting rond de Duivelspot heen. Achter de
schutting waren niet alleen torens. Er waren ook verhoogde
loopgangen gebouwd. Op die loopgangen stonden de
Vuurvreters ons op te wachten. Met katapulten schoten ze
verfbommetjes op ons af.

En terwijl we zelf ongewapend om de Duivelspot reden,
veranderden deze 'kogels' ons steeds meer in kleurige, zielige clowns. De indianen waren een school tandeloze haaien

geworden. Ons geschreeuw ketste af tegen de schutting. Het schreeuwen nam af. Toen trok de wind de laatste schreeuw met zich mee. We zwegen. Met stille woede raceten we om de Duivelspot heen en het enige wat we hoorden, was het suizen, sissen en knappen van de verfbommetjes.

Raban viel als eerste. Een verfbom sloeg op zijn jampotbril en spatte uit elkaar in bloedig rood. Raban schreeuwde. Hij kon niets meer zien.

'Hottentottennachtmerrienacht!' schreeuwde hij. Hij reed Fabi per ongeluk in de wielen en trok hem mee naar de grond.

Fabi sprong meteen op. 'Sidderende kikkerdril, Raban! Kan je niet uitkijken!' Hij pakte zijn fiets. Dat probeerde hij tenminste. Maar Rabans pedalen zaten nog tussen de spaken van zijn wiel. 'Kan je niet uitkijken, Raban!' schreeuwde Fabi nog een keer. Hij gaf een boze trap tegen Rabans tractorachterband en zag op hetzelfde ogenblik hoe Max en Vanessa geraakt werden. Verfbommen spatten open in hun gezicht. Ze vielen allebei op de grond. Fabi balde zijn vuisten. Hij

trapte en sloeg tegen zijn wiel. Maar dat hielp niets. Een paar seconden later vielen ook Marlon, Joeri en Leon over ons heen.

En ik velde Deniz de locomotief.

'Alle Turkse tapij-hijten, Jo-hosje!' vloekte de Turk, maar hij stond niet meer op.

Hij keek naar de zielige rest van onze bende. Nu reden alleen Felix, Rocco en de zeepkist-bakkersfiets van Jojo en Marc nog om de Duivelspot heen. Of nee! Marc en Jojo reden niet rond. Die duwden hun reusachtige fiets de heuvel op, weg van de Duivelspot. Ze gingen er toch niet vandoor?

'Marc en Jojo. Waar gaan jullie heen?' riep ik wanhopig. Maar toen wist ik opeens genoeg.

Ik straalde over mijn hele gezicht dat met verf besmeurd was. De twee schoven hun fiets achterwaarts de heuvel op. Alle duivels! Ze wilden helemaal niet naar huis.

'Wegwezen!' riep ik tegen de anderen. Enthousiast sprong ik op. 'Kom! Pak je fiets! We moeten naar de ingang. Jojo en Marc rammen hem in elkaar!'

Ik pakte mijn raket-racefiets en racete weg.

'Kom! We vallen de Duivelspot binnen!' schreeuwde ik tegen de anderen.

Maar die haalden me al in. Wild en gevaarlijk en tot alles bereid. Dit was onze kans. Dit was onze mogelijke overwinning. Fabi had intussen zijn fiets van Rabans pedalen kunnen bevrijden. En op de heuvel maakten Jojo en Marc nu vaart. Als bobsleeërs duwden ze hun bakkersfiets aan. Toen sprong Jojo voorin, in de zeepkist, en Marc op het zadel erachter. Hij fietste hard en daarbij draaide Jojo zijn trappers nog met de hand rond. Als een gigantisch aambeeld racete hun voertuig de heuvel af en ramde de ingang. De ophaalbrug kreunde, kraakte, sidderde, beefde... Maar hij bleef

staan. We zakten terug op ons zadel. Het zeil van Felix hing slap naar beneden en we moesten machteloos toezien hoe Wilson 'Gonzo' Gonzales boven Jojo en Marc verscheen. Vanaf de verhoging naast de ingang keek hij met een grijns op ons neer. Onverschillig, roekeloos en griezelig arrogant. Toen gaf hij de maat aan. Peter en Sexy James die naast hem stonden, namen het graag van hem over. En Wilson begon te rappen:

> *Ik zeg je, ja, ik zeg je:*
> *Ik kan het niet laten.*
> *De helft van de wereld*
> *zal mij daarom haten.*
> *Maar ik krijg de Wilde Bende plat!*
> *Ik heb jullie bijna schaakmat!*
> *Kleutertjes, pas maar op.*

*Ha ha! Dit is link!*
*Ik ben even erg als Staraja Riba*
*voor de Almachtige Pink.*
*Ha! Ha! Ha! Ha!*
*Voor de Almachtige Pink!*

En met deze woorden goten Wilson, Peter en Sexy James alle drie een emmer met knalroze verf over Jojo, Marc en hun zeepkist-bakkersfiets uit.

# Chradadadatsj

Toen werd het avond, en de zon stond al even knalroze te stralen als de verf van de skaters. We zaten stilletjes in het gras. Knalroze of kakelbont zaten we daar grassprietjes uit te trekken. Onze nederlaag was verschrikkelijk. We waren de superclowns, de kleuters. Wilson Gonzales had ons even een poepie laten ruiken. Staraja Riba had gewonnen. Ze wist waar onze verborgen zwakte zat. En omdat ze die had gevonden, zaten de Vuurvreters nu lekker in de Duivelspot te rappen en te skaten. Ze sprongen van het dak van Willies stalletje door de lucht en gleden op hun skateboards over de dwarslatten van onze doelen.

Aan de binnenkant van de schuttingen waren verhoogde gangen gebouwd. Daar reden de skaters overheen. Ze maakten kickflips, heelflips en caspers en ten slotte reden ze allemaal achter elkaar in handstand langs ons heen. Ze draaiden hun coole fivefourties en herhaalden alles nog een keer. Ze maakten ons belachelijk. En omdat we daar niets van mochten missen, deden ze de schijnwerpers aan die Willie voor ons had aangelegd.

Ik hield het niet langer uit. Ik wist wie zijn schuld dit was. Hoewel geen van mijn vrienden het me verweet, stond ik op. Heel langzaam kwam ik omhoog uit het gras. Ik liep weg, zo ver tot ik de anderen niet meer zag. Pas daar liet ik me vallen, als een natte zak. Ik sloeg mijn armen over mijn hoofd en

ramde met mijn vuisten op het gras. Ik sloeg de tranen naar buiten. Ja, die zaten heel diep in me weggestopt. Maar het lukte. Ik begon eindelijk te huilen. Alle pijn en verdriet kwamen eruit. Want vandaag was de ergste dag van mijn leven. Vanaf vandaag bestond de Wilde Voetbalbende niet meer!

Opeens hurkte Willie naast me neer. Hij had niet meegedaan aan het gevecht. Bij zulke dingen hield hij zich er altijd buiten. Niet uit lafheid, maar omdat hij ons respecteerde. *Hij* vond niet dat we een kleuterelftal waren. Voor Willie waren we wild en gevaarlijk.

'En, ben je er klaar voor?' vroeg hij, alsof ik de hele tijd op hem had gewacht.

Maar ik had gehuild. Ik was totaal wanhopig.

'Klaar? Waarvoor?' wilde ik weten en ik keek naar de horizon. Daar zag ik de laatste roze wolk verdwijnen. Hij werd geel, zwavelgeel. En daarna kreeg hij een streep groen. Gifgroen. De kleur van Staraja Riba. Ik slikte en keek op naar Willie.

'Klaar waarvoor?' herhaalde ik. 'Willie, we hebben verloren!'

'Klopt,' knikte Willie. 'Daar lijkt het inderdaad wel op.' Hij keek me aan, schoof de klep van zijn honkbalpet naar achteren en krabde op zijn voorhoofd. 'Tenzij, tenzij...'

'Tenzij wat?' wilde ik weten. Ik ging rechtop zitten.

'Tenzij je weet wie mijn lievelingsheld is,' antwoordde hij. 'Mijn lievelingsheld uit mijn lievelingsboek. Het griezelboek over de heks Staraja Riba en de Almachtige Pink.'

'Is dat je lievelingsboek?' vroeg ik met grote ogen.

'Ja. Hoezo?' vroeg Willie verbaasd.

'Omdat... omdat... omdat het ook míjn lievelingsboek is!' stotterde ik.

'Echt waar? Niet te geloven!' riep Willie enthousiast. 'Maar dan moet je hem kennen. Dat kan niet anders. Ik bedoel Chradadadatsj.'

'De ridderclown en profvoetballer? Natuurlijk ken ik die. Dat is mijn lievelingsheld.'

'Dat is fantastisch!' riep Willie enthousiast. 'Hij is ook mijn lievelingsheld! En weet je waarom?' Hij zweeg veelbetekenend. 'Omdat hij de enige is die de heks altijd overwint.'

Willie lachte alsof hij me de Steen der Wijzen had gegeven.

Maar ik werd op slag treurig. 'Nou en?' zuchtte ik. 'Dat is toch maar een stom verhaaltje! Dat helpt echt niet! Wilson Gonzales heeft de Duivelspot van ons afgepakt. Hij heeft Camelot verwoest en...'

'...en hij heeft de naam van de heks op zijn arm laten tatoeeren. Die staat zelfs op zijn vlag!' Willie keek me vol verwachting aan. 'Dat is, vind ik, geen stom verhaaltje.'

'Nee, inderdaad,' snauwde ik. 'Het is het einde. Alles is afgelopen.'

Maar Willie schudde heftig zijn hoofd. 'Nee. Dat geloof ik niet. Hoewel... Ik geloofde het eerst wel. Vanmiddag, toen de koffer met shirts leeg was. Ja, en na de rust wist ik het echt zeker. Ik zag de zeven kruizen op de heuvel staan en ik dacht: alle duivels! Nu bestaat de Wilde Voetbalbende niet meer. Maar toen kwam ik Chradadadatsj tegen. Ja, werkelijk, in het echt. Hij stond tijdens de rust opeens voor in de kleedkamer. En hij had zich niet bang laten maken. Hij heeft zich schrap gezet. Hij gaf ons onze moed terug en toen wonnen we alsnog.'

Ik werd boos. 'Zit je me voor de gek te houden?'

'Nee, absoluut niet,' verzekerde Willie me. 'Daarvoor is deze situatie veel te ernstig. Maar jij bent het nu eenmaal. Jij bent onze Chradadadatsj, Josje. Alleen jij kunt ons helpen.'

Hij veegde langs mijn gezicht en liet me daarna zijn vingers zien. Ze waren geel, groen, roze en blauw. De kleuren waarmee de Vuurvreters me van mijn fiets hadden geschoten.

'Begrijp je wat ik zei?' glimlachte Willie. 'Je bent een clown. Je bent de kleinste van ons allemaal en je bent zo dapper als een echte ridder. Jij hebt die Gonzales laten zien dat hij ons serieus moet nemen. En jij hebt ons geleerd hoe gevaarlijk het is als we ons voor wie dan ook verstoppen.'

'Maar wat hebben daaraan?' protesteerde ik. En ik zei het voor de derde keer. Hopelijk snapte hij het dan eindelijk. 'Willie, we hebben verloren. We hebben alles verloren.'

'Oké, wat je wilt. Dan heb je gelijk,' knikte Willie en hij krabde zich onder zijn pet. Hij dacht even na. Toen stond hij op. Hij draaide zich om en liep weg. Heel treurig. Hij liet zijn hoofd hangen. Maar toen schoot hem toch nog iets te binnen.

'Wacht eens even!' Hij kwam terug rennen. 'Josje, snap je het niet? We hebben echt niet alles verloren. Want als we alles hebben verloren, hebben we het grootste voordeel van de wereld.' Willie keek me stralend aan. 'Ik bedoel, zo zou Chradadadatsj het bekijken. En die weet alles! Josje! Als we alles hebben verloren, blijft er nog maar één ding over: dan kunnen we alleen nog maar winnen!'

Ik lachte terwijl ik de tranen uit mijn ogen wreef.

'Maar hoe?' vroeg ik. 'Wat moet ik dan doen?'

# Het geheime wapen

Nog voor donker gingen we naar huis. Verslagen en moe duwden we onze fietsen de heuvel voor ons oude stadion op. We liepen door tot we uit het zicht van de Duivelspot waren. Toen haalde Marc zijn mobiel tevoorschijn en gaf hem aan Willie. Hij was de enige van ons die er een had. Willie zuchtte. Hij verzette zich. Zoiets vond hij net zo moeilijk als wij. Maar iemand moest het doen. Willie beet nog eens op zijn lip. Toen belde hij. Hij moest onze ouders uitleggen wanneer we vannacht thuis zouden komen. Heel laat namelijk. En dat moest natuurlijk gezegd worden zonder de ware reden te noemen.

*Pardon, meneer Van Maurik. Maar uw zoon voert op dit moment oorlog tegen de Vuurvreters uit de Nevelburcht. We zullen vannacht nog de Duivelspot bestormen om de bleke vampier te verdrijven!* Zoiets kon hij natuurlijk niet zeggen.

Nee. De waarheid vertellen zat er gewoon niet in. Stel je voor dat je ouders zo'n telefoontje kregen. Wat een ramp! Maar Willie deed het goed. Niet alleen Max' vader vond het goed. Nee, ook de moeder van Felix. De directeur van het opvanghuis waarin Jojo door de week woonde vond het goed en zelfs de vader van Marc. De onbedwingbare begreep er niks van. Zijn vader geloofde echt dat hij met Marlon mee naar huis zou gaan om een proefwerk wiskunde te leren.

'Dampende duivelsdrol!' riep de keeper. 'Dat heb ik nog nooit van mijn leven gedaan, tenminste, niet vrijwillig.'

Maar daarmee was de lol ook wel weer voorbij. We doken ineen van schrik. Een zoemend geluid vulde de lucht. De schijnwerpers gingen uit en in deze bewolkte, maanloze nacht verdween de Duivelspot gewoon. In elk geval tot onze ogen weer aan het donker gewend waren. Toen wachtten we tot de muziek van de Vuurvreters eindelijk verstomde. Dat duurde bijna twee uur. Toen sloop ik met Willie naar de Duivelspot. De andere leden van de Bende bleven achter. Wilson 'Gonzo' Gonzales en zijn Vuurvreters dachten vast en zeker: die kleuterschoolclowns geven het wel op.

En dat wilde ik ook toen Willie mij naar mijn plaats van bestemming bracht. Ik wilde het opgeven! Want waar Willie me heen bracht, zat alleen maar een gat in de grond. Eigenlijk was het een dikke buis die naar de Duivelspot liep. Dat wist Willie. Maar vóór de buis daar uitkwam, liep hij nog tien meter onder de grond. En hij was heel oud en roestig. Hij had een doorsnee van zo'n dertig centimeter.

'Wat is dít?' protesteerde ik verontwaardigd. 'Noem je me daarom Chradadadatsj? Heb je mij daarom die onzin verteld? Ik ben de enige die door deze buis past!'

Willie keek me fronsend aan.

'Dat klopt,' zei hij droog. 'Maar wat zou je anders doen? Als iedereen erdoorheen kon?'

Ik keek hem boos aan.

'Zou het dan anders zijn?' Willie gaf het niet op. 'Zou je het dan doen, Josje? Zou je door die buis kruipen, of zou je dan nog steeds bang zijn?'

'Ja, ik ben bang!' riep ik boos. 'Ik ben als de dóód. Is dat soms verboden?'

'Nee,' zei Willie rustig. 'Dat is zelfs goed. Door die angst zul je voorzichtig zijn.' Nu glimlachte hij. 'Want daar zorgt angst toch voor?'

Ik voelde het rotsblok op mijn borst. Shit! Ik had maar al te graag geknikt. Maar ik kon het niet. Ik wist niet wat me in die buis of daarachter te wachten stond.

'Oké!' Willie knikte. 'Dan lopen we nu alles nog een keer door. Twee Vuurvreters bewaken de ingang van de Duivelspot. Op elke toren houdt bovendien een van de andere Vuurvreters de wacht. Maar die kijken allemaal naar buiten. Wat er ín de Duivelspot gebeurt interesseert ze geen klap. Daar slapen alleen de anderen en dat is nou net onze kans. Jouw kans, Josje. Jij moet Wilson zien te vinden.' Willie gaf me een dikke rol breed plakband. 'Alsjeblieft! Daarmee ga je Wilsons handen en voeten boeien. Zo stevig dat hij zich nauwelijks meer kan bewegen. En de anderen die naast hem slapen ook.'

'En dan?' vroeg ik. Het rotsblok op mijn borst was nu een hele bergtop geworden. Ik hoopte dat Willie nu zou zeggen: *Wegwezen, zo snel mogelijk.* Maar dat deed hij niet. Willie zweeg. Hij keek me aan.

'En dan?' herhaalde ik. Mijn knieën knikten.

'Dan moet je iets verzinnen. Je moet Wilson wakker maken en hem zo ver zien te krijgen dat hij zich aan je overgeeft.' Willie zei het alsof hij me met een boodschappenlijstje naar de supermarkt stuurde. Maar het boodschappenlijstje was zo ongelooflijk lang. Het leek wel een rol wc-papier. En ik kreeg geen cent mee.

'Josje! Ik weet dat het belachelijk klinkt. Maar jij bent de enige die dit voor elkaar kan krijgen. Daarom moet je door de buis. Al had hij een doorsnee van vijf meter. Zelfs als een bus je door de buis naar de Duivelspot kon brengen, zou jij de enige zijn die deze opdracht kon uitvoeren. Josje! Jij bent onze griezelboeken-specialist. Jij bent Chradadadatsj. Je verzint heus wel iets. Hier!'

Met deze woorden gaf hij me mijn Wilde Bende-pop. De

knuffel die mijn moeder voor mijn verjaardag had gemaakt. Hij gaf mij de pop alsof het een groot zwaard was. Maar ik voelde me alsof ik met een wattenstaafje het slagveld op werd gestuurd.

Ik schudde mijn hoofd. 'Nee. Dat kan ik niet!' zei ik smekend. 'Willie...!'

'Natuurlijk kun je dat,' glimlachte hij. 'Daar steek ik mijn benen voor in het vuur.'

Willie keek me aan als de beste trainer ter wereld. Maar voor mij leek het alsof we twee minuten voor het einde met 0-10 achter lagen. En dan zou Willie me het veld in sturen met de woorden: *Hup, Josje, je kunt het! Jij brengt de ommekeer in de wedstrijd!*

Maar Willie zei geen woord. Hij keek me nog steeds aan. Ik had geen keus. Ik pakte de Wilde Bende-pop en het plakband en kroop in de buis. Willie keek me na. Hij zei nog steeds niets. Hij wenste me niet eens geluk. Maar dan zou ik hem op dit moment ook gehaat hebben.

De buis was nauw, glibberig en vochtig. Plantenwortels, mos en spinnenwebben sloegen in mijn gezicht. Mijn fantasie sloeg op hol. Hoewel het pikdonker was, zag ik zwermen kevers. Spookhanden kwamen van alle kanten op me af me en spookstemmen lachten me uit. Het gelach klonk hol. Maar ik zette mijn tanden op elkaar. Ik was Chradadadatsj. Of nee: dit was echt. Dit was helemaal geen verhaal. Dit gebeurde in de werkelijkheid. En daarom was ik geen clown! Nee! Ik was ik: Josje, de jongen die zeven jaar oud was. Zeven jaar en vierenhalve dag. En ze noemden mij 'het geheime wapen'.

Opeens zag ik een beetje licht. Door een kogelrond gat zag ik de nachtelijke hemel. En toen was ik aan het einde van de griezeltocht. Ik slaakte een zucht van verlichting. Ik kroop uit de buis en stond midden in het hol van de leeuw. Stinkende apenscheten!

De buis hield voor Willies stalletje op. Ik kroop naar buiten en lag voor de vijand op een presenteerblaadje... Vanaf alle vier de torens was ik duidelijk te zien. Maar Willie had nog gelijk ook. De wachtposten van de Vuurvreters stonden met hun rug naar het voetbalveld. Toch zocht ik vlug dekking. Ik drukte me tegen de wand van het stalletje en keek met ingehouden adem om me heen. 'Waar is die Gonzales? Waar zitten die miskleunen?' dreunde het door mijn hoofd. Toen zag ik dat de deur van Willies caravan openstond. Zonder te weten wat ik daar zou doen, sloop ik door de deur de caravan binnen als een muis die de val in sluipt. En ja hoor, ik had echt een keer geluk. Te gek veel geluk!

In de caravan sliepen Wilson, Sexy James en Peter naast elkaar. De drie belangrijkste mensen uit de groep. Ze lagen op de grond, op de tafel en op het bed en droomden van hun overwinning. Ik had ze alle drie tegelijk te pakken. Bliksemsnel en zonder na te denken sprong ik tevoorschijn. Ik plakte Sexy James vast op de grond. Ik bond Peter met plakband vast aan de tafel. De sukkel lag er met zijn lange neus als een babyworm op te slapen. Toen plakte ik de benen van Wilson Gonzales aan elkaar. Ik bond zijn armen vast aan het kastje naast het bed en stopte een prop in zijn mond.

Wilson 'Gonzo' Gonzales, de bleke vampier, deed zijn ogen open. Hij wilde uit het bed springen. Maar dat ging niet. Toen wilde hij schreeuwen. Dat ging ook niet meer. Hij dacht dat hij een verschrikkelijke nachtmerrie had. En hij kon niemand zien. Niemand behalve zijn geboeide vrienden en de Wilde Bende-pop. Als een duveltje uit een doosje stond die opeens voor zijn bed. Hij zag er verschrikkelijk uit: de tocht door de buis had zijn gezicht gehavend en hij had een sluier van spinnenwebben en algen op zijn hoofd. Slijmerige draden sijpelden van zijn armen. Slijmerige draden liepen ook tussen de onder- en boventanden van zijn reusachtige mond.

'Oeaaah!' blies de Wilde Bende-pop en hij boog zich over de aanvoerder van de Vuurvreters. 'Oeaaah!' blies hij en toen bewoog ik zijn hand, waarin mijn rechterarm zat. 'Jij!' De Wilde Bende-pop klopte de bleke vampier op zijn borst. 'Jij geeft je over, hier en nu!'

Wilson Gonzales staarde me aan alsof hij wakker was geworden in een speelgoedwinkel, midden tussen de knuffeldieren. Maar die waren allemaal in monsters veranderd.

'Jij, bleke vampier, geeft je nu over,' fluisterde de Wilde Bende-pop. 'Of moet ik mijn vrienden erbij halen?'

Op dat moment schoot ik pas voor het bed rechtop, naast de pop. Met de modder uit de kleedkamer van Ajax, met de smerige kleuren uit de ballonnen van de Vuurvreters en de slij-

merige viezigheid, het mos en de spinnenwebben uit de buis,
zag ik er nog angstaanjagender uit dan mijn Wilde Bende-pop.
Zo angstaanjagender dat ik er zelf van schrok. Want op dat
moment kroop er een dikke spin over mijn wang. Die moest
met me zijn meegelift uit de buis. Ik huiverde.

'Gadver!' riep ik en ik veegde het kruipende beest weg.

Maar Wilson schrok nog erger. De spin viel recht op zijn
neus. En dat was mijn grote, grote kans.

'Wil je je nu eindelijk overgeven?' schreeuwde ik en ik
hoorde hoe Peter en Sexy James achter me wakker werden. Ik
draaide me naar hen om. 'En jullie houden je rustig. Eén
woord van jou, Vuurvretermeisje, en ik draai een dikke
knoop in je lange haar. En jij, Pinocchio!' blies ik tegen Peter.
Ik boog me over de tafel naar hem toe. 'Jij gaat nu naar bui-

ten en zegt tegen je vrienden dat ze de ophaalbrug naar beneden laten. Duidelijk? Dat wilde je toch net zeggen?' Ik draaide me grijnzend om naar Wilson. De bleke vampier kon weinig anders doen dan heftig knikken.

'Mooi zo!' glimlachte ik en ik bevrijdde Peter van zijn boeien. 'Je doet precies wat ik zeg! Anders voer ik je vrienden aan de rest van de beestjes die ik bij me heb. Behalve de spin, bedoel ik.'

Peter rende meteen naar buiten. Hij spurtte naar de ophaalbrug en schreeuwde tegen de wachtpost: 'Laat onmiddellijk de brug naar beneden!'

En toen die niet reageerde, deed hij het zelf. 'Dit is een bevel van de monsters. Ik bedoel, van de bleke vampier!' schreeuwde hij, brutaal als de beul.

De wachtposten keken hem aan alsof hij knettergek was. Maar de ophaalbrug kwam al naar beneden en het volgende moment viel de zwarte groep, de Wilde Voetbalbende, de Duivelspot binnen. Ze overmeesterden Wilson en Sexy

James en hielden ze het te gekke overgaveverdrag onder hun neus.

'Ik, Wilson "Gonzo" Gonzales, de bleke vampier, en al mijn mensen verklaren hierbij dat ze zich overgeven. We verklaren dat de stad van de Wilde Voetbalbende is. Wij trekken ons voor altijd en eeuwig en nog veel langer terug in onze Nevelburcht die we nooit meer zullen verlaten.'

Wilson 'Gonzo' Gonzales stond te knarsetanden. Sexy James mopperde: 'Almachtige Pink!' en Peter zat alleen maar vies en slijmerig voor zich uit te mompelen. Maar ze hadden geen keus. Ze moesten dit verdrag tekenen. En toen moesten ze hun mutsen inleveren. Die staken we als indianenscalpen op lange stokken op het dak van het stalletje. Want niemand mocht onze overwinning ooit vergeten.

# Laten we voetballen!

In de dagen daarna voelden we ons zo sterk en zo groot! Zo hadden we ons lang niet meer gevoeld. Ook al bestond Camelot nu niet meer, we hadden toch gewonnen. We hadden de Vuurvreters verslagen en onze verborgen zwaktes overwonnen. Het land van de Wilde Bende was weer van ons. Met ons hoofd in de wind reden we elke morgen op weg naar school om de Nevelburcht heen. Elke middag trainden we in de Duivelspot.

Op donderdag vertelden we het iedereen: voor het eerst nodigden we ouders, vrienden, klasgenoten en familie uit voor een wedstrijd. Zelfs Dikke Michiel en zijn Onoverwinnelijke Winnaars moesten komen. En de drie 'leuke' vriendinnen van Raban natuurlijk. De meisjes met kantjes, lintjes en strikjes, met hun krulspelden en sleepjes en pluchen oorwarmers. Kun je je die nog herinneren? Wat een ramp! Maar dat kon ons niets schelen. We waren zo blij met onze overwinning, en ook trots. We wilden dit met alle mensen vieren die we kenden. Het moest een voetbalfeest worden in ons stadion en natuurlijk speelden we een wedstrijd die we zeker zouden winnen. Onze eerste thuiswedstrijd in de Duivelspot na het begin van de terugronde. Een wedstrijd tegen FC Quick, het oude elftal van Deniz dat we bij de kwalificatie voor het Stadskampioenschap compleet ingemaakt hadden.

De zaterdag daarop was het zover. Tijd voor het voetbalfeest! De lentezon straalde en de hemel was strakblauw. Op ons verzoek had FC Quick zich samen met ons al voor de Duivelspot omgekleed. Nu hoefden we alleen nog maar te wachten tot de ophaalbrug werd neergelaten. Toen liepen we het stadion binnen.

Onze shirts waren weer inktzwart. Op het moment dat ik aan kop van ons elftal het veld opkwam, barstte het applaus los. De Duivelspot trilde. Er waren wel vijfhonderd mensen gekomen. Ze stonden dicht tegen elkaar langs de zijlijn. Maar dat was niet alles. Dikke Michiel en zijn Onoverwinnelijke Winnaars liepen met grote bakken op hun buik door de menigte en verkochten chips, cola, sinas, appelsap en hotdogs. En op het dak van Willies stalletje dansten de 'leuke vriendinnetjes' van Raban. Als cheerleaders stonden ze vrolijk te springen, recht voor de stokken waar we de mutsen van de skaters op hadden gestoken. Ze zongen enthousiast:

*We hebben een W!*
*We hebben een B!*
*Wilde Bende Yay, Yay!*

De jongens van FC Quick waren nogal onder de indruk. Ze deden in elk geval alsof. Al in de eerste minuten gingen we aan kop door een flitsend doelpunt van Leon. Bij de rust stond het, door nog twee treffers van Fabi en Felix, 3-0. We hadden het verdiend. De Wilde Voetbalbende V.W. lag op kampioenskoers. Maar toen stortten we in. Heel plotseling en zonder reden. Een counter verraste ons en het tweede doelpunt was een geluksschot. Net als Marlons schot tegen de NAC Junioren een week eerder. Van 35 meter afstand passte een jongen van FC Quick haarscherp en onhoudbaar voor Marc in de rechterhoek. Daarna kreeg Quick nieuwe moed. We waren kwetsbaar geworden. FC Quick wist bovendien de uitslag van onze vorige wedstrijd. We waren niet zo onoverwinnelijk als bijvoorbeeld Ajax. Nee, we konden verslagen worden. En daarom, en omdat in de voorhoede helemaal niets meer lukte, lagen we vijf minuten voor het einde zelfs met twee doelpunten achter.

De stemming in de Duivelspot zakte tot het nulpunt. Dit was geen voetbalfeest meer. Dit was een begrafenis. De begrafenis van onze hoop op het kampioenschap. Dat wisten we allemaal. Maar we liepen met hangende hoofden over het veld. We konden het gewoon niet beter. Vandaag zat er helemaal niets in en eindelijk snapte ook Willie dat. Hij ging teleurgesteld in het gras zitten. Hij trok de pet van zijn hoofd en begon er nerveus in te knijpen. De scheidsrechter keek op de klok. Nog drie minuten, gaf hij aan.

Opeens stormden zeven jongens en zes meisjes de Duivelspot binnen. Ze joegen de vriendinnen van Raban van het dak. Ze trokken hun mutsen van de stokken erachter en zetten ze op. Daarna was het stil. De scheidsrechter hield de tijd in het oog. Maar opeens leek het of die stil was blijven staan.

Stinkende apenscheten! De Vuurvreters waren terug. Ze hadden ons weer eens op een zwak moment betrapt. En weer eens misten we de kracht om ons te verweren.

Wilson 'Gonzo' Gonzales keek boos op ons neer. Ten slotte gaf hij Peter een teken. Die aarzelde niet. Hij zette de gettoblaster aan. De muziek stampte en bonkte erop los en de bleke vampier begon zijn rap. IJzig koud en zonder emotie begon hij:

*Dikke vette afgang, allemaal ellende.*
*Waar is nou die zogenaamde Wilde Bende?*

*Jullie moeten winnen, dus knoop het in je oren:*
*wij staan hier te wachten totdat jullie eens gaan scoren!*

Wilson keek ons snel aan. Hij klapte in zijn handen.

'Ja! Wij staan hier te wachten totdat jullie eens gaan scoren'
schreeuwde hij. Hij gooide de zwarte bal naar ons. De bal van
het voetbalorakel die hij zelf van ons afgepakt had.

'Begin nou eens een keer!' riep hij. Toen zongen alle skaters samen:

*Yo, Wilde Bende!*
*Komt er nog wat van?*
*Laat zien wat je kan!*
*Schiet hem erin*
*en WIN!*

Stampend en bonkend zonden de Vuurvreters ons de woorden toe. Als een bezwering herhaalden ze ze steeds opnieuw, steeds opnieuw. Ze gaven niet op en op een bepaald moment begon hun magie te werken. Samen met de zwarte bal.

De scheidsrechter gaf weer het beginsignaal, en nog geen twintig seconden later maakte Rocco een goal. Fabi zorgde voor gelijkspel en door Vanessa's doelpunt gingen we aan de leiding. De stand was nu 6-5 voor 'Gevaarlijk en wild', voor ons dus! We zeilden weer op kampioenskoers. Toen vielen de jongens van FC Quick voor de laatste keer aan. Ze speelden alsof ze de voetbal hadden uitgevonden. Alles lukte ze en we gleden of grepen steeds maar weer in de leegte. Marlon, Joeri en Marc lagen verslagen in het gras. Het doel was leeg en de centrumspits van FC Quick schoof de bal in het doel. Tenminste, dat was hij van plan. Maar ik wilde het niet. Gelijkspel was een nederlaag voor ons. En daarom begon ik vreselijk mijn best te doen. Ik, Josje, de allerlaatste man achter de laatste. Achter Joeri 'Huckleberry' Fort Knox. Ik stormde door naar de lijn en tikte de bal in de allerlaatste nanoseconde voor het eindsignaal uit het doel.

Alle knetterende donderkoppen! We hadden gewonnen en de Duivelspot deed zijn naam méér dan eer aan. Hij werd weer de grootste heksenketel aller heksenketels. Alle vijfhonderd toeschouwers applaudisseerden en juichten en vielen de Vuurvreters bij in hun rap. Maar deze keer was de tekst een beetje anders:

*Yo, Josje!*
*Jij bent wild!*
*Jij hebt FC Quick gekild!*

We liepen door het stadion. We hielden elkaars handen vast en staken ze op de maat van de muziek de lucht in. Mijn vrienden droegen me op hun schouders het veld rond. Toen stak Wilson Gonzales zijn handen in de lucht. De rap verstomde. Het volgende moment was het doodstil en in die stilte sprongen Sexy James en Wilson van het dak, voor onze voeten.

'Gefeliciteerd,' zei Gonzo met een brede glimlach. 'Ik hoop dat jullie het ons vergeven. Ik bedoel, dat we hier waren, ondanks de verbanning!'

Hij grijnsde naar ons, want hij wist: zonder hem en zijn tover-rap hadden we deze wedstrijd nooit gewonnen.

'Maar daarom zijn we nu hier!' nam Sexy James het van hem over. Ze keek ernstig. 'We zijn hier om jullie te vragen of jullie de verbanning willen opheffen.'

'Want we willen graag meer wedstrijden van jullie zien!' riep Peter vanaf het dak en Wilson Gonzales moest opeens hard niesen. Je weet wel, vanwege zijn voetbalallergie.

Maar toen deed hij een stap naar mij toe en zei: 'En wij zouden heel graag jullie boomhut weer opbouwen.' Hij keek me aan. 'Toe, Josje, Chradadadatsj of geheim wapen! Wie je ook bent. We hebben veel van je geleerd. Je hebt bewezen dat jullie net zo wild zijn als wij. En daarom zou ik het leuk vinden als je onze vriend wilt zijn.'

'Precies. En ik ook,' grijnsde Sexy James. Toen gaf ze me een zoen op mijn mond!

*Gadverdegadver!* Dat wilde ik zeggen. Ik wilde Sexy James een klap verkopen. Maar toen merkte ik iets. Eigenlijk was die zoen helemaal niet zo erg! Hij was best cool! Ik vergat de klap en stak mijn gebalde vuist in mijn broekzak. Ik zei geen woord. Nee! Geen wóórd. En als je mij nu belooft dat je het aan niemand doorvertelt, zeg ik je: ik heb mijn mond nog niet afgeveegd. Echt niet. Ik kan het zelf niet geloven. Maar ik heb het niet gedaan. Gadverdegadver!

# De Wilde Voetbalbende
## stelt zich voor

**Leon de slalomkampioen, topscorer en de jongen-van-de-flitsende-voorzetten**
*Centrumspits*

Leon is de aanvoerder van de Wilde Bende. Hij maakt doelpunten zoals ooit Johan Cruijff deed. Of hij geeft adembenemende voorzetten. Specialiteit: omhalen. Hij is voor niets en niemand bang en wil altijd maar één ding: winnen. Maar zijn trouw aan de Wilde Bende en in het bijzonder aan zijn beste vriend Fabi is nog groter dan zijn wil om te winnen.

**Fabi de snelste rechtsbuiten ter wereld**
*Rechtsbuiten*

Hij is Leons beste vriend. Samen vormen ze de Gouden Tweeling. Fabi is de doelpuntenmachine van de Wilde Voetbalbende

127

V.W. en de wildste van allemaal. Werkt zich door zijn sluwheid nooit in de nesten. Voor elk probleem bedenkt hij een oplossing. Zijn onweerstaanbare glimlach beschermt hem daarbij steeds tegen straffen of andere gevolgen. Maar in tegenstelling tot Leon interesseert Fabi zich ook voor andere dingen. Hij heeft zelfs al belangstelling voor meisjes. Niemand weet hoe lang hij nog bij de Wilde Bende blijft.

### Marlon de nummer 10, de spelverdeler met inzicht

*Spelverdeler*

Marlon is Leons broer. Hij is een jaar ouder dan Leon. Leon heeft een hekel aan hem. Maar voor het elftal is hij het hart, de ziel en de intuïtie. Marlon speelt zo onopvallend alsof hij een jas draagt die hem onzichtbaar maakt. Maar ondertussen overziet hij alles. Het lijkt of zijn hoofd als een satelliet boven het veld cirkelt. Ook buiten het speelveld is er niemand die zijn vrienden beter aanvoelt dan hij.

## Raban de held

*Reserve-topscorer*

Raban voetbalt als een blinde die fotograaf wil worden. Hij heeft nog niet eens een verkeerd been. Want wie een verkeerd been heeft, moet ook een goed been hebben. In onze loods voetbalt hij op zijn best. De bal raakt soms meer dan vijf keer een muur en stuitert dan toevallig in het doel. Ondanks dat is Raban een van de belangrijkste leden van het team. Ook al draagt hij een bril met jampotglazen. En ook al worden zijn vuurrode krullen vaak door drie meisjes misvormd met krulspelden. Die meisjes zijn de dochters van vriendinnen van zijn moeder. Raban noemt hen 'de drie roze monsters'. Overigens: zijn vriendschap en trouw zijn onovertroffen.

## Felix de welvelwind

*Linksbuiten*

Felix is de perfecte linksbuiten. Hij speelt zijn tegenstanders duizelig. Maar als Felix astma heeft, is hij nergens. Dat denkt hij tenminste. Tot hij in de wedstrijd tegen Ajax zijn angst en ziekte overwint. Hij verandert de Wilde Voetbalbende in een echt voetbalteam. Een team met shirts, een prachtig logo, een reglement en echte spelerscontracten. Daardoor stijgt hij zelfs hoog in de achting van João Ribaldo, een Braziliaanse voetbalheld van Ajax.

### Rocco de tovenaar
*Aanvallende middenvelder*

Rocco is absoluut cool. Hij tovert de bal overal heen waar hij hem maar hebben wil. Hij is de zoon van een Braziliaanse voetbalheld van Ajax. Hoewel Rocco al bijna even goed speelt als zijn vader, wil hij zelf alleen maar spelen bij de Wilde Voetbalbende V.W. Rocco is Marlons beste vriend en hij is erg bijgelovig. Hij gelooft nog in spoken en heksen.

### Jojo die met de zon danst
*Linksbuiten*

Jojo woont door de week in een opvanghuis voor kinderen, omdat zijn moeder geen werk heeft. Dat komt waarschijnlijk omdat ze vaak te veel drinkt. Jojo heeft niet eens voetbalschoenen. Zelfs in de winter speelt hij op kapotte sandalen. Maar hij is een goede linksbuiten voor het team. En een vriend die ze nooit zouden willen missen.

## Marc de onbedwingbare
*Keeper*

Marc is het tegenovergestelde van Jojo. Hij woont in een reusachtig huis met bedienden. Zijn vader is rijk. Marc is in het doel een natuurtalent. Iedereen die tegen hem scoort, krijgt een vermelding in het *Guinness Book of Records*. Maar als Marc naar de training wil, moet hij stiekem het huis uit sluipen. Zijn vader haat voetbal en wil dat hij later profgolfer wordt.

## Joeri 'Huckleberry' Fort Knox, het eenmans-middenveld
*Laatste man*

Joeri is zo'n goede verdediger dat zijn tegenstanders denken dat ze met víér in plaats van één persoon te maken hebben. Verder leeft hij net zo geheimzinnig als Huckleberry Finn. In zijn achtertuin heeft hij Camelot gebouwd, helemaal zelf. Camelot heeft drie verdiepingen en is de ontmoetingsplaats en boomburcht van de Voetbalbende.

### Josje het geheime wapen
*Allerlaatste man*

Josje is Joeri's broertje. Hij is eigenlijk nog te klein voor het team. Maar samen met Sokke, de hond, is hij vaak de troefkaart, het geheime wapen. Hij raakt de bal maar zelden. En dat is dan vooral als hij hem in de laatste milliseconde van de doellijn grist.

### Vanessa de onverschrokkene
*Middenvelder*

Vanessa is het wildste meisje aan deze kant van het Donkere Woud. Ze loopt zelfs op school in voetbalkleren. Haar schoten op het doel zijn vooral onhoudbaar als ze haar roze pumps aanheeft. Ze wil de eerste vrouw zijn die in Oranje speelt. Na haar verhuizing van Maastricht naar Amsterdam heeft ze haar plaats bij de Wilde Voetbalbende moeten bevechten. Ze zou bij geen ander team willen spelen. Zolang de Wilde Voetbalbende bestaat, moet het nationale elftal nog op haar wachten.

Max 'Punter' van Maurik, de man met het hardste schot ter
wereld
*Verdedigende middenvelder*
Max praat niet. Zelfs op school of aan de telefoon zegt hij
geen woord. Hij práát niet, maar dóét. Hij bezit het
Drievoudige M.S.: het Mega-Machtig-Monster-Schot. Voor
Max is voetballen alles. Behalve als er problemen met zijn
vrienden zijn. Dan offert hij zijn vrijheid op en neemt een
wekenlang huisarrest en voetbalverbod op de koop toe. Dan
verbreekt hij zelfs zijn zwijgen.

### Deniz de locomotief
*Spits, bestrijkt de hele voorhoede*

Deniz is de Turk in het team. Elke dag reist hij met bus en tram de hele stad door om te trainen bij zijn vrienden van de Wilde Voetbalbende. Bij hen heeft hij ontdekt dat hij een bril nodig heeft, dat hij er niet alleen voor staat en dat vrienden belangrijker zijn dan een persoonlijke overwinning.

### Willie, de beste trainer ter wereld
*Trainer*

Willie woont in een caravan achter zijn stalletje in de Duivelspot.
Hij wilde zelf ooit profvoetballer worden. Maar door een zware blessure aan zijn knie (de schuld van Dikke Michiels vader) moest hij stoppen met voetballen.
Nu traint hij de Wilde Voetbalbende. Hij is de beste en meest bijzondere trainer ter wereld. Daarom heeft

hij voor de Wilde Bende het sportveldje omgebouwd tot de Duivelspot. Het stadion van de Wilde Voetbalbende V.W. is de grootste heksenketel aller heksenketels. En de Duivelspot heeft een echte lichtinstallatie van bouwlampen.

**Joachim Masannek** werd in 1960 geboren. Hij studeerde Duits en filosofie en daarna studeerde hij aan de Hogeschool voor Film en Televisie. Hij werkte als cameraman en schreef draaiboeken voor films en tv-programma's. En hij is trainer van de échte Wilde Voetbalbende, en vader van voetballers Leon en Marlon.

**Jan Birck** werd geboren in 1963. Hij is illustrator, striptekenaar en artdirector voor reclame, animatiefilms en cd-roms. Met zijn vrouw Mumi en hun voetballende zoons Timo en Finn woont hij afwisselend in München (Duitsland) en Florida (Verenigde Staten).

# Skate-termen

Skateboarden heeft een eigen taal. De
begrippen die in de tekst opduiken
vind je hier kort uitgelegd:

**Casper**    Sprong waarbij je het board met
je voeten helemaal ronddraait
zonder van de grond te komen.

**Fivefourty**  Anderhalve draai (540 graden) in de
lucht. Moet op de halfpipe, en is
heel moeilijk.

**Heelflip**    Sprong waarbij je het board met je hiel in de lucht schopt.
Het board draait als een schroef.

**Kickflip**    Hetzelfde als een heelflip, maar nu schop je je board met je
tenen de lucht in. Het board draait de andere kant op.

**Ollie**    Een sprong zonder je handen te gebruiken. Bijvoorbeeld een
sprong met het skateboard over een hindernis. Op deze
vaardigheid zijn de meeste skateboardkunstjes gebaseerd.

**One-eighty**  Een halve draai (180 graden) in de sprong.

**Threesixty**  Een hele draai (360 graden) in de sprong.